1895

Het Lazarusplan

Meer info over Karel Smolders en zijn spannende verhalen vind je op www.karelsmolders.be

NEDERLANDSE
KINDERJURY
2006

Karel Smolders
Het Lazarusplan
© 2005 Clavis Uitgeverij, Hasselt – Amsterdam
Omslagillustratie: Marijke Meersman
Trefw.: sciencefiction, avontuur
NUR 284
ISBN 90 448 0386 7 – D/2005/4124/039

www.clavis.be
www.clavisbooks.nl

HET
LAZARUSPLAN

KAREL SMOLDERS

Clavis

Matt opende zijn ogen. Hij keek naar de roodgloeiende getallen op zijn wekkerradio. Kwart over twee 's nachts. Er klopte iets niet. Een lichte slaper was hij niet. Als hij eenmaal in bed dook, sliep hij binnen het kwartier en hij werd nooit wakker voor zeven uur 's ochtends. Wat had hem gewekt?

Het was stil in huis. De wind en de tanende maan stoeiden met de bladeren van de appelboom buiten en tekenden grillige patronen op de muren. Het was een vertrouwd beeld dat hem gewoonlijk geruststelde, maar vannacht moest hij ervan huiveren. Er was iets helemaal mis, merkte hij. Het was té stil. Hij kreeg het beklemmende gevoel dat hij niet alleen was.

Dat overkwam hem de laatste tijd wel vaker: het idee dat er meer in zijn hoofd zat dan alleen zijn eigen gedachten. Soms wilde paps hem iets vertellen en dan wist Matt het al voor de woorden uit zijn mond kwamen. Het was al gebeurd dat hij dacht dat Skip eraan kwam, precies enkele ogenblikken voor hij aanbelde. Matt probeerde zichzelf ervan te overtuigen dat het allemaal toeval was, maar helemaal lukte hem dat niet. En vannacht was het gevoel extra griezelig.

Gedurende enkele minuten bleef hij roerloos op zijn rug liggen. Hij hoopte min of meer dat de slaap zou terugkomen. IJdele hoop. Had hij de moed om uit zijn bed te komen en de nacht te trotseren? Hij was toch dertien geworden? Tijd om zijn mannetje te staan. Trouwens, misschien was het gewoon mams' ziel die nog kwam spoken …

Wat een onzin! Mams was dood en dood is dood en spoken bestaan niet. Boos op zichzelf gooide Matt de lakens van zich af. Een onheilspellende kou viel over hem. Het was juli en volgens het weerbericht zou de temperatuur niet onder de twintig graden dalen vannacht. Waarom had hij het dan zo koud? En waarom was het zo stil?

Rillend stond hij op.

Hij liep naar de deur van de hal en pakte de deurknop. Hij aarzelde. Wat als er iemand aan de andere kant van de deur stond? Een inbreker. Of erger: een moordenaar. Een vampier, een zombie, een weerwolf? Gnuivend blokte Matt zijn fantasie af. Spoken bestaan niet en vampieren en zombies en weerwolven ook niet. Basta!

Met een ruk opende hij de deur. De gang was donker, maar dat was het niet wat hem de stuipen op het lijf joeg. Het was alsof hij de deur van de koelkast had opengetrokken. Een zucht van ijskoude lucht stroomde zijn kamer binnen. De haartjes op zijn armen gingen overeind staan. Hij rilde opnieuw. Waar kwam die kou vandaan? Welk luguber schepsel waarde door hun huis? Want dat er iemand – of iets – was, daar was hij nu wel zeker van.

Zachtjes ging Matt de trap af naar beneden. Het viel hem op dat de vloer hier en daar kouder was dan op andere plaatsen, alsof een of ander griezelig wezen bevroren voetsporen had achtergelaten. De schrik besloop hem, toen hij trede voor trede afdaalde. Langzaamaan werd het warmer en algauw zag hij ook waarom: de voordeur stond halfopen en de zomerse lucht waaide zalvend naar binnen.

Dus toch een inbreker! Maar: was hij er nog of had hij al het hazenpad gekozen? Die kou was toch niet normaal. Matt repte zich naar de deur en sloot ze. Ze was niet geforceerd.

Had paps gewoon vergeten de deur op slot te doen? Was ze door de wind opengeduwd?

Matt keerde zich om en stond voor de deur van de woonkamer. Opnieuw wachtte hij. Als de inbreker nog binnen was, dan zou hij vast dáárbinnen zijn. Was het nu niet hoog tijd om naar boven te rennen en paps te wekken, zodat die de klus kon klaren? Maar paps sliep door alles heen. Die kreeg je met geen duizend bommen en granaten wakker.

Vooruit man, maande Matt zichzelf aan, je bent geen kind meer. Laat zien wat je waard bent! Hij gooide de deur open, stapte naar binnen en deed het licht aan. De intense kou die hem opnieuw tegemoet kwam, verraste hem al niet meer.

De woonkamer was leeg, stil, onaangeroerd. Het glas melk dat hij de avond tevoren had gedronken, stond nog halfvol op het salontafeltje. De krant lag opgevouwen waar paps ze had neergelegd: op de hoek van de eettafel. Alles leek normaal. Hij gaf zijn ogen de kost, maar kon niets abnormaals vinden. Pas toen hij het licht weer uit wilde doen, zag hij het: op de werktafel van paps, die in een hoek van de L-vormige woonkamer stond, was iets verdwenen.

Nu sloeg de schrik Matt helemaal om het hart. Hij had zich niet vergist: hier was iemand binnen geweest. Hij haastte zich naar de tafel. Daar lagen de krantenknipsels over de verkoop van het Dodenbos en de protestbetogingen. Paps' dagboek en zijn boeken over kanker, die hij sinds de dood van mams verslond. Zijn laptop met de muis. Een slordig stapeltje A4'tjes vol allerhande aantekeningen. Maar op dat stapeltje lag al twee maanden lang een soort presse-papier. Een 'ding' dat hij en zijn vrienden hadden gevonden bij de opgravingen in het Dodenbos. Het was plat, ongeveer even groot als een rekenmachientje, en het leek van dof metaal te zijn gemaakt. Er zaten twee heldere, perfect rechthoekige balkjes op: één rood en één groen. Het was in de lente boven water gekomen, toen paps en Herbert Kuyken van het historische genootschap de resten gevonden hadden van wat tot in de zestiende eeuw de dorpskerk was geweest. Tenminste, dat beweerde paps. Het ding, de 'zapper' noemde hij het grappend, was van meer dan een meter diep naar boven gehaald. Het zat in een lederen foedraal gewikkeld, dat half vergaan was. Wat het precies was, hadden ze nog niet kunnen achterhalen. Herbert was er helemaal wild van geweest. Hij had er een hele verzameling theorieën over. Met paps had hij dagen geruzied over wie het ding mocht bewaren.

Het had hier vanaf mei gelegen. En nu was het weg.

Het was nog steeds koud. Matt kreeg het griezelige gevoel dat er iemand achter hem stond. Hij keerde zich abrupt om. Er was niemand. Hij haalde diep adem en liep de woonkamer uit. Dit kon niet wachten. Wat moest iemand aanvangen met een raar ding dat al honderden jaren in de grond had gezeten? Waarom wilde iemand daarom, en alléén daarom, inbreken? Matt wist het niet, maar hij moest paps waarschuwen.

Op de trap was de temperatuur iets draaglijker geworden. Toch was Matt er zeker van dat hij vannacht een flinke verkoudheid zou oplopen. Om zich te verwarmen rende hij de trap op. Hij stormde zijn kamer voorbij, knipte het licht in de hal aan en stormde paps' kamer binnen.

Hij was er niet. Het grote bed, waarin tot voor kort nog twee mensen hadden gelegen, was helemaal leeg. De lakens waren weggeslagen. Paps was ook opgestaan, net als Matt. Waar was hij naartoe gegaan? Had hij de inbreker betrapt? Had hij hem achtervolgd? Of vergiste Matt zich helemaal? Was paps er gewoon zélf met de zapper vandoor? Maar waarom dan? Dat verklaarde ook die kou nog niet.

Plots hoorde Matt een zacht schurend geluid boven hem: *krie-krie-krie*. Bijna alsof een oud raampje heel stil heen en weer bewoog in de wind. Het kwam van de zolder.

Matt balde zijn vuisten. Hij had het mysterie al tot hierboven gevolgd, dus die laatste etappe kon er nog wel bij. Hij schraapte de restjes van zijn moed bijeen en ging de zoldertrap op. De trap knerpte onheilspellend. Matt kwam bijna nooit op zolder. Daar waren alleen zijn oude speelgoed en te veel herinneringen aan mams. Terwijl hij voortklom, werd het nog kouder, alsof de noordpool een filiaal had op zolder. Op de overloop merkte hij dat de lage deur naar de zolder openstond. Het eenzame peertje achter op zolder scheen zwakjes door de opening. Een zware schaduw bewoog langzaam van links naar rechts. Matt kneep zijn billen tegen elkaar van de schrik. Wie was daar? Nu was het moment om zich om te draaien en krijsend weg te rennen, de trap af, naar buiten, de straat op! Welk monster was hun huis binnengedrongen? Wat moest het met de zapper en wat deed het hier op zolder?

Verdomme, er moest maar eens een eind komen aan deze komedie! Matt liep vastberaden verder. In de deuropening blies een ijskoude lucht hem tegemoet. Hij keek naar de rommelige zolder. Oud speelgoed op een hoop gegooid. Een koffer vol verkleedspullen. Een stapel oude schoolboeken en -schriften. Een afgedankte televisie met daarop een nog oudere bandrecorder. Stof als een vacht op het koude beton. Maar al die dingen zag

Matt niet echt. Er was iets heel anders dat de aandacht naar zich toe zoog. Iets zo gruwelijks dat Matt niet geloofde dat het waar kon zijn. Van de schok plaste hij in zijn pyjamabroek.

De schaduw was paps.

Hij hing met een touw aan de nokbalk van het dak en schommelde langzaam heen en weer. Hij was dood.

De begrafenis was een vertoning. De kerk zat volgepropt met buren, familie, collega's, allerhande kennissen en afgestofte ramptoeristen. Er klonk gesnotter, soms echt, soms gespeeld, toen de pastoor tijdens zijn preek paps tot een halve heilige promoveerde. Matt zat er een beetje verdoofd naar te luisteren. De klap was nog niet verwerkt, het beeld nog niet gewist. Paps' gruwelijke dood zat nog in zijn hersenen en kronkelde daarin rond als een venijnig virus dat alles verlamde. Niettemin loerde Matt naar de werkelijkheid om hem heen. Het kwam hem voor dat hier een toneel werd opgevoerd.

De pastoor had er niets van begrepen. Paps was geen halve heilige. Paps was gewoon paps. Hij had zijn best gedaan om het leven voor zijn zoon en zichzelf zo aangenaam mogelijk te maken, ondanks de vroege dood van zijn vrouw. De afgelopen dagen had de pastoor drie keer met Matt gepraat en telkens dezelfde vragen gesteld. Nu stond de man vooraan zijn best te doen om een portret te tekenen van iemand die hij eigenlijk niet kende. Hij bakte er dan ook niets van. Als een student die onbeholpen zijn eerste spreekbeurt houdt, dacht Matt.

Hij keek om zich heen. Was hier nu nog iemand normaal? De vrouwen waren afgepoederd en opgetut zonder dat ze er mooier van waren geworden. Het meest leken ze nog op etalagepoppen. De mannen idem dito. Afgeborsteld en de grijze haren glad gestreken met gel. Ze keken allemaal alsof de pastoor het einde van de wereld aankondigde voor morgenochtend. En toch kenden velen van hen paps niet of nauwelijks. Waarom deden ze dan zo hun best om er verdrietig uit te zien?

Matt wenste dat de opvoering gauw voorbij zou zijn. De begrafenis deed hem niets. Het was alsof hij naar een vervelende film zat te kijken. Hij stapte achter de kist aan, van de kerk recht naar het kerkhof, langs scheefgezakte oude en glanzende nieuwe graven, tot op een rij waar nog maar weinig grafstenen stonden. Helemaal vooraan op die rij lag mams. Op haar graf was net een zerk geplaatst. Ook dat deed Matt weinig. Net zoals toen bij haar kon hij vandaag ook geen afscheid nemen van paps. Dat hoefde ook niet, want hij had het al gedaan. Eigenlijk deed hij het nog voortdurend. In zijn hoofd. Hij voerde gesprekken met hem en hoorde zijn antwoorden. Dat lichaam daar in die kist naast dat gat in de grond, dat was paps niet. Dat was alleen maar een lichaam.

En dan de verplichte sessie handjes schudden. De gefezelde innige deelnemingen, de meelijwekkende schuddebollers, en de mompelaars zonder woorden. Wel honderd keer moest hij 'arme jongen toch' aanhoren. En al die handen die door zijn haar streelden, terwijl hij alleen maar zin had om erop te meppen. Het ging maar door. De eerste die eraan kwam na de familie was Herbert Kuyken. Net toen hij Matts hand greep, biggelde een traan over zijn wang naar beneden.

Matt wist niet wat hij ervan moest denken. Herbert was de voorzitter van het historische genootschap en hij had veel met paps samengewerkt. Ze hadden samen een stuk van de oude kerk van Kempier opgegraven in het voorjaar. Deze zomer hadden ze het werk willen voortzetten, maar de firma Necroid had er geen toestemming voor willen geven. Kuyken was altijd vriendelijk en beleefd. Matt had nooit problemen met hem gehad. Toch kwam het hem voor dat Kuyken vooral ingenomen was met zichzelf. Dat hij geloofde dat het hele universum eigenlijk om zijn persoon draaide. Hij had Kuyken nog nooit spontaan zien lachen. Hij had hem nog nooit kwaad of verdrietig gezien. Matt vond hem eerder beredeneerd en sluw. Die traan, die paste evengoed bij hem als bij een krokodil. Zo meteen vroeg hij vast hoe het nu met Matt verder moest.

'En hoe moet het nu verder met jou, mijn jongen?' vroeg Herbert.

Er ging een schok door Matt heen. Daar had je het weer. Hij had geweten wat Herbert ging zeggen. Hoe was dat mogelijk? Herbert had tot vandaag nauwelijks met Matt gesproken. Hij vond kinderen, zelfs tieners, niet de moeite om mee te praten. Dat 'mijn jongen' klonk dus behoorlijk verdacht.

Matt haalde zijn schouders op. Hij had geen zin om te antwoorden.

'Je vader had nog wat spullen van de oude kerk …' begon Kuyken.

Dáár ging het hem dus om. Hier, bij het open graf, vier dagen na de dood van paps, probeerde hij de spullen vast te krijgen die paps van de opgravingen mee naar huis had gebracht. Natuurlijk wist Kuyken nog niet dat de zapper weg was.

'Ja,' zei Matt. 'Die had hij. En nu heb ik ze. Dag, mijnheer Kuyken. En dank u wel.'

Kuyken klemde zijn kaken op elkaar en zijn geveinsde tranen verdwenen prompt. Hij trok net iets te snel zijn hand terug en droop af.

Matt ging door met handjes schudden. Terwijl hij zich door de rij snotteraars heen werkte, zag hij in de verte, naast de coniferen bij de ingang van de kerk, de man staan die hij de voorbije dagen al te veel had gezien. De speurder die zich in paps' zaak had vastgebeten. Inspecteur Quickner.

De deurbel maakte altijd een vrolijk geluid, maar Matt hoorde het tegenwoordig nauwelijks. Hij zat in de woonkamer en staarde naar twee meesjes, die vrolijk kwetterden tussen de bladeren van een krulhazelaar. Hij keek, maar zag ze niet. Voor zijn ogen bengelde nog steeds het gezicht van paps. Blauw. De tong uit de mond. Krassen op zijn keel, waar hij geprobeerd had om het touw weer los te maken. En dan dat afschuwelijk schurende geluid van het touw dat heen en weer bewoog.

'Ik ga wel!' Oma kwam uit de keuken gerend, met het huiselijk knisperen van een biefstuk in de pan achter haar aan. Oma was vijfenzestig, maar ze huppelde rond als een dertiger. Eén brok energie was ze, en met Matt in huis was dat nu wel nodig. Haar zoon was nu tien dagen dood. Dood en begraven. Matt verborg zijn gezicht in zijn handen. *Binnen het half jaar ben ik allebei mijn ouders kwijt.*

De eerste dagen had Matt geen oog dichtgedaan. Elke nacht beleefde hij de gruwel van die fatale nacht honderd keer opnieuw. En als hij tegen de ochtend doodmoe insliep, was dat telkens maar voor even. Tot een nachtmerrie hem weer wakker schudde en hij, badend in het zweet, om paps riep. Vannacht was het de eerste keer geweest dat hij weer behoorlijk had geslapen. Wellicht omdat zijn lichaam het niet meer aankon.

De voordeur ging open. 'Goedemiddag, mevrouw.'

Matt keek op. Het was de wolfshondenstem van inspecteur Quickner. Als je het nu had over iemand die zijn naam gestolen had ... Quickner was ongeveer even kwiek als een molensteen. Hij was twintig kilo te zwaar, droeg een indrukwekkende knevel onder zijn neus en dacht dat hij Hercule Poirot was. Matt grinnikte bij zichzelf. Wel ja, inspecteur Prei, dat was een toepasselijker naam voor dit heerschap.

'Inspecteur,' zei oma gereserveerd. 'Welke goede wind waait u hierheen?'

Daar kon de goede inspecteur vast niet om lachen. Er kwam geen antwoord, maar een ogenblik later schuifelde Quickner de woonkamer binnen, met oma achter zich aan. Hij knikte even naar Matt, die deed alsof hij hem niet zag. Matt kon niet geloven dat zo'n sul als Quickner inspecteur was bij de politie. Ongevraagd en luid kreunend plofte Quickner neer op de bank. Hij zag er niet zo best uit. Zijn gezicht was bleek en er prijkte een joekel van een pleister op zijn voorhoofd. Slaag gekregen, zeker. Geen wonder, dacht Matt. Als hij elke zaak zo grondig verknalde als die van paps, dan had je vroeg of laat mot.

Quickner trok aan zijn das, die plots te strak geknoopt leek, en schraapte zijn keel. 'Mevrouw, Matt. Ik wip even binnen om te zeggen dat de zaak gesloten is.'

Als door een horzel gestoken veerde Matt overeind. Had hij zich dan toch vergist in de inspecteur? 'Gesloten? Hoezo?'

Quickner keek hem even neerbuigend aan en wendde zich weer tot oma. 'De zaak is officieel geklasseerd als zelfmoord.' Oma deed alsof ze niet zag dat ze werd aangesproken en repte zich naar de keuken om de pan van het vuur te halen.

Vergist? Die klojo was daadwerkelijk nog een groter uilskuiken dan hij er al uitzag. Matt ontplofte zowat. 'Zelfmoord? Bent u niet goed bij uw verstand?' Matt zag zijn oma grinniken achter de rug van de inspecteur, wiens gezicht wit wegtrok.

16

'Paps zou nooit zelfmoord plegen, nog in geen honderd jaar! Hoe verzint u het?'

Quickner moest op zijn tanden bijten om Matt niet de huid vol te schelden. Maar hij was waarschijnlijk getraind om met moeilijke gevallen om te gaan, dus ging hij even dit varkentje wassen. Een joch van dertien dat net zijn vader op een vreselijke manier had verloren, daar kon je alles van verwachten. Kalm blijven was dus de boodschap. Maar het kostte moeite. Van bleek was de inspecteur plots donkerrood geworden. Hij hapte naar adem. 'Luister, jongen, ik ben een politieman en ik werk met feiten. De feiten zijn dit: je vader hield, dat hebben jullie allebei gezegd, erg veel van je moeder.'

'Dan hebt u toch één ding goed begrepen,' snauwde Matt. Het kon hem echt niet schelen wat die afgedankte salondetective van hem dacht. Wat hem betrof, slingerde Quickner hem op de bon wegens smaad. Matt had nauwelijks het verlies van mams verwerkt en nu werd paps brutaal vermoord. Ze konden allemaal de pot op. Hij had geen zin om vriendelijk te zijn tegen dit heerschap. Als Quickner daar hoge bloeddruk van kreeg, dan was dat zijn probleem.

Oma was na de redding van de biefstuk uit de keuken teruggekeerd. 'Matt!' zei ze, alsof ze hem probeerde terecht te wijzen. Matt wist dat oma ook geen hoge dunk van Quickner had.

Quickner werd stilaan paars, maar hij probeerde de kalmte te bewaren. 'Nog meer feiten: je moeder is een half jaar geleden gestorven aan kanker. Je vader werkte tot een jaar geleden als chemicus in de voedselindustrie. Hij was ervan overtuigd geraakt dat in de producten waaraan hij werkte, kankerverwekkende stoffen zaten. Juist?'

Matt knikte. Een maand nadat de diagnose bij mams was vastgesteld, had hij zijn baan bij Vaeren Food Chemicals opgezegd. 'Hij was er niet van overtuigd, hij wist het gewoon.'

'Aha! Dus je bent het met me eens. Om kort te gaan: je vader vond dat hij zelf indirect schuldig was aan de ziekte van de vrouw van wie hij hield. Haar dood had dus twee dingen tot gevolg. Eén: een vreselijk verdriet om het verlies van zijn vrouw, en twee: een ondraaglijk schuldgevoel. Ik heb met drie verschillende psychologen gepraat en ze komen alle drie tot hetzelfde besluit. Hij was depressief. Zijn levenswil werd geknakt door het verdriet. Het schuldgevoel leidde ertoe dat hij zichzelf terechtstelde. Besluit: dit was zelfmoord.'

Quickner trok zijn vestje recht, rechtte zijn rug en knikte trots. Zaak opgelost.

'Zo'n hoop nonsens heb ik nog nooit gehoord,' zei oma laconiek.

'Jawel,' zei Matt. 'In een sprookje. Een sprookje dat ú verzonnen heeft!'

'Integendeel! Alles werd bevestigd door een getuige.'

'Een getuige? Van wat? Van de moord?'

'Van de zélfmoord. Het komt mij voor dat u uw eigen familielid niet goed kende. Ik heb uren gepraat met één van zijn beste vrienden. Herbert Kuyken heeft de achtergrond van jouw vader glashelder uit de doeken gedaan. Depressie, schuldgevoel, zelfvernietiging. Het klopt als een bus!'

Opnieuw Kuyken! 'Paps wás niet depressief. Verdrietig, ja, maar niet depressief. Bovendien zou hij mij nooit zomaar in de steek laten.' Waarom zou Herbert Kuyken de inspecteur die onzin op de mouw hebben gespeld? Geloofde Kuyken dat echt?

Intussen had Matt begrepen dat Kuyken niet rouwde om paps. Dat hij zeker niet de beste vriend van paps was geweest. Wellicht had Kuyken de inspecteur die leugen op de mouw gespeld, of misschien geloofde Kuyken zijn eigen leugen. Wat wilde Kuyken hiermee bereiken? Het sloeg toch allemaal nergens op?

'Hij wist dat je oma je zou opvangen.'

De inspecteur had op elke vraag al een antwoord bedacht. Dat verklaarde veel. Misschien had Kuyken helemaal niet gelogen. Misschien had hij gewoon enkele dingen gezegd die mooi in het gammele theorietje van de inspecteur pasten. 'Inspecteur, u hebt geen enkele keer de moeite genomen om naar ons te luisteren! U komt tot een besluit en gaat dan op zoek naar aanwijzigen die uw besluit kunnen staven. Hoort het niet andersom te gebeuren?'

De rode kleur van Quickners gezicht werd nog donkerder. Zijn stem begon schril te worden: 'Nu moet jij eens heel goed luisteren, jongeman ...'

'Mis! U bent degene die moet luisteren en u doet het niet! Hoe verklaart u de intense kou in ons huis, terwijl het buiten twintig graden was?'

'Dat heb je je ingebeeld! Je werd verward wakker! Je sliep nog half! Misschien slaapwandelde je wel! Wij hebben geen kou gevoeld.'

'Omdat het alweer opgewarmd was, toen jullie er aankwamen. Er is iets bij ons binnen geweest. Iets vreemds, iets ...' Matt kwam niet uit zijn woorden.

'Je hebt het je ingebeeld!'

'En de voordeur die in het holst van de nacht wagenwijd open stond? Was dat ook mijn fantasie?'

19

'Best mogelijk,' hoonde de inspecteur. 'Toen wij er aankwamen, was de voordeur dicht. Jij hebt ze voor ons geopend.'

Matt werd wanhopig. Hij had zin om Quickner een opduvel te geven. Jezus, wat een etter! 'En de zapper? De zapper was van paps' werktafel gejat! Dat heb ik u al wel tien keer verteld, maar u wilde het niet weten!'

Maar ook dat argument veegde de inspecteur vlot van tafel. 'Het bestaan van die zapper kan niet bewezen worden. Iets wat je vader in het bos gevonden zou hebben? Het was er misschien ooit, maar nu is het spoorloos. Je weet niet eens wat het was. Wat moet ik daarmee aanvangen? Luister, jongen, het is zo klaar als pompwater: de enige vingerafdrukken die we in jullie huis hebben gevonden waren die van jou, van je vader, je oma, en nog enkele van een onbekende. Aan de grootte te zien waren die van een vrouw, dus wellicht nog van je moeder. Elk haartje en elk huidschilfertje dat we hebben gevonden, werd getest op DNA. We hebben niets vreemds gevonden. Zal ik het voor je spellen? Er is daar N-I-E-M-A-N-D binnen geweest! Je vader pleegde zelfmoord en daarmee uit.' Kreunend duwde Quickner zichzelf overeind. 'En als je me nu wilt excuseren? Ik heb wel wat anders te doen dan naar jouw beledigingen en fantasieverhalen te luisteren. Wees blij dat ik je niet op de bon slinger wegens smaad.' Quickner keek naar oma. 'Mevrouw,' knikte hij bij wijze van groet.

'U vindt de deur wel?' zei oma fijntjes.

Quickner gromde en koos stampvoetend het hazenpad.

Toen de deur in het slot was gevallen, zei Matt: 'Ik word gek van die Quickner!'

'Dat heb ik gemerkt, ja.'

'Er is wél iemand binnen geweest, oma, dat weet ik zeker. Je moet me geloven!' Hij slikte een traan weg.

'Dat doe ik wel, schat, maar of je het nu leuk vindt of niet, de politie heeft alles onderzocht. Er is niemand binnen geweest!'

Matt voelde zich koud worden. Hij kreeg plots een idee dat hem tijdens die ijselijke nacht zelf al was ingevallen. 'En wat als de moordenaar niet iemand was, maar *iets*?'

'Wat bedoel je?'

'Ik weet het niet, oma, maar er klopt iets niet. Quickner zit er compleet naast. Het was geen zelfmoord. Daarvoor was paps veel te levenslustig, dat weet jij toch ook? Hij was in zoveel dingen geïnteresseerd. Zijn nieuwe baan, de opgravingen in het Dodenbos, mij, noem maar op. Iemand – of iets – heeft hem vermoord. Die kou was onnatuurlijk. Ik krijg er nu nog kippenvel van.' Hij huiverde toen hij weer aan die nacht terugdacht. 'Het spijt me, oma. Ik wil even alleen zijn.'

Met een snik keerde hij zich om. Hij zocht oma's logeerkamer op, waar hij sinds kort was ingetrokken. Die was zo rommelig als een vuilnisbelt. Hij had alle spullen die hij van thuis had meegebracht, hier vlug neergezet. Hij had nog niet de tijd gehad om alles te ordenen.

Het verhaal van Herbert Kuyken klopte ook al helemaal niet. Er wás iets met die vent. Wat, daar kon Matt nog niet precies de vinger op leggen. Hij had het gevoel dat Kuyken een masker droeg. Dat achter zijn glimlach sluwe gewetenloosheid school. Was hij zo doortrapt dat hij Quickner om de tuin had kunnen leiden met zijn fantasietjes over depressies en schuldgevoelens? Maar waarom dan? Had Kuyken zélf iets met de moord te maken?

Matt probeerde de over-en-weer kibbelende gedachten uit
uit zijn hoofd te bannen. Dit ging nergens heen. Welk voordeel
had Herbert bij de dood van paps? Geen! Herbert had natuurlijk gewoon zijn mening gezegd tegen Quickner en de inspecteur had die mening voor waar aangenomen.

Matt zat op een stoel in het midden van de kamer. Zijn
schouders hingen moedeloos naar beneden en hij voelde de
tranen prikken in zijn ogen. De pijn was nog lang niet geweken, en Quickner strooide met zijn domme opmerkingen alleen
maar zout in de wonde. Ondanks oma voelde Matt zich alleen.
Er was gedurende het laatste jaar een orkaan door Matts leven
geraasd en nu zat hij tussen het wrakhout te dobberen. Alles van
waarde was weg.

Hoe anders was het twaalf maanden geleden nog geweest.
Mams was toen al ziek, maar ze ging nog overal naartoe en ze
hadden plezier. Mams, die met haar lach warmte zaaide overal
waar ze heen gingen. Mams, die er altijd was geweest als hij
haar nodig had gehad. En paps, met wie hij zo goed kon voet-
ballen of die met geduld naast hem zat en hem hielp als hij van
zijn schoolwerk weer een punthoofd kreeg. Matt voelde zich als
een kreupele wiens krukken waren afgepakt en stukgeslagen.
Verdomme, hij miste hen!

Matt rechtte zijn rug, haalde diep adem en gaf zichzelf een
spreekwoordelijke draai om de oren. Zelfmedelijden was voor
losers. Hij moest nodig tot zichzelf komen!

Op een oude lessenaar stond de laptop van paps. Quickner
had hem niet eens bekeken voor zijn zogenaamde onderzoek.
Matt vond het niet erg. Op die pc stonden misschien dingen die
privé waren. Had Quickner niks mee te maken. In al die dagen

sinds de moord had Matt de laptop niet aangezet. Het ding stond hier al een week. Opengeklapt. Hij wilde wel in paps' pc neuzen, maar hij had het nog niet gedurfd. Hij was bang om dingen te vinden die hij niet wilde vinden. De computer had een dood, maar uitstekend geheugen. Misschien werd het tijd om dat eens aan te spreken.

Lusteloos zette hij het toestel aan. Hij klikte het verkennersprogramma open en bladerde door de mappen die paps had opgeslagen. Eén met foto's van mams. Een andere met foto's van hun alle drie. Nog een derde met allerlei onderliggende mappen over kanker en alles wat daarmee te maken had. Eentje over voeding. Eentje met als titel HISTORISCH GENOOTSCHAP. Het zag er allemaal geruststellend normaal uit. Over elk onderwerp dat paps interesseerde, was er wel een map. Matt was niet van plan om ze allemaal te openen en door te nemen, maar ééntje trok zijn aandacht, omdat de titel zo vreemd was: LAZARUS. Lazarus was toch een figuur uit de bijbel, bedacht Matt. Een dode die door Jezus weer tot leven was gewekt. Was paps misschien van plan om uit de dood terug te keren? Of, dat klonk al te fantastisch, had hij mams weer tot leven willen wekken? Met zweterige handen klikte Matt de map open. Er verschenen enkele onderliggende mappen. Sommige met foto's uit het Dodenbos, van de opgraving die paps daar had gedaan. Aantekeningen en theorieën over de zapper. En een tekstbestand met de naam NECROID & LAZARUS. Matt klikte nog een keer en begon te lezen. En naarmate hij verder las, werd zijn verbijstering alleen maar groter.

·

26 mei

Ik ben bang. Of gek. Ik weet het niet. Soms denk ik: ga naar de politie en leg het hele geval uit, maar zou het baten? Dit is toch te gek om waar te zijn? Laat ik het dus maar opschrijven, kwestie van niet vergeten.

Oké, dat NECROID DEVELOPMENT *het Dodenbos had opgekocht, dat wisten we al. Daarom moesten we zoveel haast maken met de archeologische opgravingen. Eigenlijk hadden we nauwelijks de tijd. Ongelooflijk dat we nog zoveel gevonden hebben. Stom, we hadden nog zoveel meer kunnen vinden, als we eerder begonnen waren.*

Maar goed, voor Marcel Munte zelf, de baas van Necroid, ons van zijn eigendom kwam verjagen, hadden we al een en ander opgegraven. De normale spullen: stenen, een metalen kelk, enkele munten, een schaaltje, zelfs een soort kandelaar. Maar bijzonder was toch wel de zapper. Hij zat heel ongewoon tussen de andere spullen. Hij moet zich in de kerk hebben bevonden toen ze in 1517 afbrandde. Dat was een jaar of tien na de mysterieuze opstand van Kempier. Mijn vermoeden is dat alles zich in de sacristie bevond toen die instortte en voorgoed werd bedolven: de kelk, de schaal, de munten én de zapper. Niemand van ons begrijpt wat de zapper is. Het ziet er niet echt zestiende-eeuws uit. Ik breek er nog elke dag mijn hoofd over.

En toen vanochtend die brief in de bus. Die brief van NECROID. *Waarin ze me een miljoen euro bieden voor de zapper. Een miljoen euro! Voor een raadselachtig stukje archeologie. Enkele jaren geleden zou ik dat geld zonder blikken of blozen in mijn zak gestoken hebben, maar sinds haar dood hecht ik geen belang meer aan geld. Ik ga dus niet rea-*

geren. *Doen alsof mijn neus bloedt. Maar waarom heeft* NECROID *die zapper zo graag, vraag ik mij af. Wat vinden zij zo belangrijk aan een ding dat honderden jaren onder de grond heeft gezeten? En alléén dat ene ding. Vergeet de munten en de kelk en al de rest, daar reppen ze met geen woord van. Nee. De zapper. Alleen de zapper. Denk wat je wilt: hier klopt iets niet!*

30 mei

Waarschijnlijk dachten ze dat ik meteen zou toehappen. Dat ik spoorslags dat miljoen zou opstrijken om te gaan rentenieren op de Bahama's. Toen ik dat niet deed, zijn ze vast héél ongeduldig geworden. Hebben ze vol ongeloof het hoofd geschud. Vandaar dat ik een uur geleden een telefoontje kreeg van zijne heiligheid Marcel Munte himself *die het aanbod in een handomdraai verdubbelde. Denk er maar eens eventjes over na en bel me terug, zei hij. Hij verwacht natuurlijk dat ik dat binnen het uur zal doen. Twee miljoen. Hupsakee. Alsof het niks is. Oké, voor een bedrijf als Necroid ís het natuurlijk ook niks, maar ze moeten dat toch maar kunnen verantwoorden in het budget, denk ik dan.*

Ik zei toch al dat het niet klopte. Mijn bloeddruk zit aan het plafond, hier krijg ik het ronduit benauwd van. Als ze dat ding zo graag willen, dan moet er een reden voor zijn. Als ik ook maar een greintje gezond verstand had nu, dan verkocht ik het spul. Waarom ben ik ook zo'n koppige ezel? Hoe meer ze voor dat ding gaan geven, hoe meer ik het voor mezelf wil houden. Ik wil weten hoe het zit. Wat er áchter hun aanbod zit.

25

11 juni

Verdomme, ik schijt bijna in mijn broek. Ik had kunnen weten dat dit zou gebeuren. Een paar dagen geleden hadden ze alweer contact gezocht: ze boden nu al vijf miljoen, alles of niets. Ik liet het maar weer op zijn beloop, idioot die ik ben.

Vandaag hebben ze er dan nog een schepje bovenop gedaan. Ik kwam vandaag nogal laat thuis van mijn werk. Ik moest nog een paar dingen afwerken, want ik heb de rest van de week vrij genomen. Toen ik van de trein stapte, stond Marcel Munte op de donkere parkeerplaats plots voor mijn neus. Hij had een litteken op zijn wang dat ik vroeger nooit heb gezien. Ik heb die kerel nog nooit zien lachen, maar vanavond zag hij er gewoonweg gemeen uit. Hij begroette me niet. Eigenlijk vroeg hij maar één ding: 'Waar is het?' Ik zei: 'Waar is wat?'

'Waar is het? Geef op of sterf!'

Hij bleef het herhalen, en toen ik niet antwoordde, vloog hij me naar de keel. Er was niemand in de buurt. Ik kon niet om hulp roepen. De kracht van die man verbaasde me. Toen ik daarvan bekomen was, slaagde ik er tamelijk gemakkelijk in om me los te worstelen. Hij deinsde achteruit. Ik was niet van plan om op nog een uitval te wachten en zette het op een lopen. Hij volgde me niet, maar ik was doodsbang. Ik heb Yves Uten van het historisch genootschap gebeld, maar hij denkt dat ik spoken zie. Is dat zo? Moet ik eigenlijk niet naar de politie gaan om een klacht in te dienen? En haalt dat wat uit? Ik kan niets bewijzen.

19 juni

Ik slaap maar weinig de laatste dagen.

Soms wil ik alles aan Matt vertellen, maar dan denk ik: moet ik hem hierbij betrekken? Ik mag hem niet in gevaar brengen. Of breng ik hem al in gevaar, gewoon omdat ik die zapper niet wil inleveren? Is hij in gevaar, alleen maar omdat hij mijn zoon is?

Munte heeft me opnieuw gebeld. Hij kraste als een ekster: 'Geef ons wat we willen of we maken je kapot!'

Ik heb onmiddellijk de hoorn neergelegd. De zapper is vast niet het enige dat ze willen. Er moet meer zijn. En dat zijn geen vermoedens, ik weet het zeker. Munte kan me bedreigen, maar ik zal niet zwichten. Als iemand tegen mij komt aanduwen, dan ga ik aan de slag. Ik heb een paar dingen nagetrokken. Makkelijk zat, want Herbert werkt ook bij NECROID.

Bij NECROID DEVELOPMENT *gebeuren ook rare dingen. Er zijn topfiguren op staande voet ontslagen. Enkele belangrijke medewerkers zijn op een heel vreemde manier om het leven gekomen, allemaal in slechts een paar weken tijd. Eigenwijze mannen, stuk voor stuk, volgens Herbert. Kerels uit één stuk, geen jaknikkers. En die zijn allemaal plots overleden. Eén verkeersongeval, dat geloof je nog wel, maar drie? Plus twee zelfmoorden ... Ze hebben er een of andere derderangsinspecteur op gezet, Kwikker of zoiets, geloof ik, en die bakt er niet veel van.*

En er is meer. Het werk in het Dodenbos is helemaal overhoopgegooid. Oorspronkelijk zou het bos gewoon verdwijnen om plaats te maken voor een groot bouwproject. Daar heb ik jaren tegen gevochten. Er zou een winkelcentrum komen met parkeerplaats, plus een bioscoopcomplex, een recreatiecentrum en een woonkern. Allemaal netjes volgestouwd met groen om te laten zien hoe milieuvriendelijk het hele zootje is. Een project van honderden miljoenen euro's. Waar carrières mee gemaakt en gebroken worden. Alle verzet was nutteloos. Het project was als een pletwals die niemand kon stoppen. Er was te veel geld mee gemoeid.

En nu werd dat zomaar gestopt. Officieel omdat er verder bodem-

onderzoek nodig is, maar dat geloof ik niet, dat hebben ze allang gedaan. Ze zijn begonnen met een hoog hek om het hele bos te zetten, mét elektronische bewaking. Dat moet honderdduizenden euro's kosten! En waarom wordt er zoveel zwaar materiaal weggehaald? Waar zijn de graafwerktuigen, de kranen, de vrachtwagens? Alles was eerst aangevoerd en nadien werd het weer verwijderd! Al het extra materiaal dat al was besteld, is voor onbepaalde tijd geschrapt. Maar er zijn wél nieuwe bestellingen geplaatst bij een hele rits onderaannemers uit allerlei hightechsectoren. Waar is dat voor nodig?

Waarom is de naam van het project veranderd? Aanvankelijk heette het Project Dodenbos, maar sinds enkele weken noemen ze het bij NECROID Het Lazarusplan. Ze hebben laten uitlekken dat de naam Dodenbos niet aantrekkelijk genoeg klonk, maar dat is onzin. Het bos heet al sinds mensenheugenis zo.

En waarom gaat NECROID voor de bewaking van het Dodenbos trouwens een eigen veiligheidscel oprichten? Zware jongens met aan het hoofd een huurling, zo wordt gefluisterd. Een kerel die nog in oerwoudoorlogen in Zuid-Amerika en Afrika heeft gevochten. Over enkele weken staat hij hier.

Nee, de officiële versie klopt niet. Er is iets aan de hand dat het daglicht niet verdraagt. Iets dat van reusachtig belang is en dat verschrikkelijke gevolgen zal hebben.

Ik weet alleen niet wat.

Meer was er niet.

Matt staarde nog minutenlang naar het scherm. Hij wist niet waar hij nu het eerst blij om moest zijn: dat paps ook vond dat Quickner een driedubbele nul was of dat deze tekst Matts vermoeden bevestigde. Paps had geen zelfmoord gepleegd. Hij was vermoord. Door Marcel Munte of een van zijn trawanten. Misschien die huurling.

Toch vond Matt dat antwoord niet voor honderd procent bevredigend. Het verklaarde de kou van die nacht niet. En ook niet dat iemand erin geslaagd was paps te verhangen, zonder Matt te wekken. Er moest toch minstens een handgemeen geweest zijn? Iets waarbij potten gebroken waren of waarbij paps geschreeuwd zou hebben? Wie was er zo sterk dat paps zich nooit had kunnen verzetten? Wie ... of wat?

Matt klikte door naar de onderliggende mappen, maar vond geen verdere aanwijzingen. Werktuiglijk zette hij de pc uit. Een tijdlang ijsbeerde hij door de kamer. Hij kwam er niet uit. Te veel vragen, te weinig antwoorden. Als je er niet uit komt, had paps altijd gezegd, ga dan met iemand praten. Dan komen er veel meer ideeën vrij in je hoofd. Tja, in ieder geval niet met oma nu. Die had al genoeg aan haar hoofd. Misschien moest hij maar eens zijn beste vriend Skip inschakelen.

Hij moest eruit. Naar buiten.

Hij opende het venster en greep de brandladder. Die had opa nog gemaakt. Sinds Matt bij oma woonde, was het zijn favoriete uitgang. Hij klauterde naar beneden en sloeg de laatste treden met een sprongetje over. Tussen de hoge rododendrons en vlinderstruiken in de tuin voelde Matt zich op een vreemde manier geborgen. Hij pauzeerde enkele ogenblikken voor hij op weg ging naar Skip. Ter hoogte van het schuurtje bleef hij staan. Dat was nog zo'n plekje waar hij van hield. Je kon tijdens hete dagen heerlijk tegen het schuurtje zitten niksen in de schaduw van een vooroorlogse perenboom. Maar dat was niet waarom hij nu stopte. Geschrokken trok hij zich een halve meter terug, tot achter het schuurtje, en tuurde dan voorzichtig om de hoek.

Voor het hek stond Herbert Kuyken. Helemaal in het grijs, haar plat achterover gekamd. Hij speurde met sluwe ogen de tuin af en keurde de muur van het huis. Hij kreeg een tevreden uitdrukking op zijn gezicht toen zijn blik plots halt hield op het openstaande raam van Matts kamer. In gedachten klom hij langs de brandladder omlaag en knikte. Perfect. De achterkant van het huis. Niemand te zien. In een mum van tijd naar boven en hop, niemand zou iets merken. Argwanend keek Herbert nog even naar links en naar rechts, alvorens met veel moeite over de spitse stijlen van het hek te spartelen. Hij pufte even toen hem dat gelukt was, maakte weer die links-rechtsbeweging met zijn hoofd en spurtte naar de ladder.

Matt volgde hem geruisloos. Pas toen Herbert zijn voet op de onderste sport zette, zei hij: 'Hallo, Herbert!'

Matt had nog nooit iemand zo zien schrikken en daar had hij plezier in. Herbert kromp ineen en maakte tegelijk een sprongetje. Vervolgens draaide hij om zijn as en spande al zijn spieren. Met een vuurrood hoofd en klemmende kaken keek

hij Matt aan. 'M… Matt!' hijgde hij. 'Hoe …Wanneer …' Zijn
hartslag was vast verdubbeld.

'Wanneer ik je gezien heb?' deed Matt luchtig. 'Toen je voor
het hek stond. Wat was je eigenlijk van plan?'

'Ik?' Herbert had het niet meer. Hij wilde wellicht 'niks'
zeggen, maar dat kon hij natuurlijk niet. Je kon zien dat hij driftig nadacht. Hij moest weer de bovenhand krijgen en probeerde aan te vallen: 'Luister eens, Matt, je vader had nog enkele
dingen die van mij zijn en eigenlijk wil ik die gewoon terug!'

'Wat een onzin!'

'Wablief? Wat durf jij te zeggen?' Herbert werd nog roder.

'Paps had niets dat van jou was. En als dat wél zo was, dan
kon je die toch gewoon vragen? Waarom moet je inbreken?'

'Inbreken? Ik breek helemaal niet in!'

'Nee? Wilde je misschien de brandveiligheid controleren?'

Herbert brieste. Hij besefte dat hij zichzelf meesterlijk voor
schut zette en dat hij zich niet uit dit wespennest kon kletsen.
Daarom besloot hij er niet langer woorden aan vuil te maken.
'De zapper!' riep hij. 'Ik moet de zapper hebben!'

'Wat voor iets?' deed Matt onnozel, terwijl hij zich in het
haar krabde.

'Hou je niet van den domme! Je weet precies wat ik bedoel.
Ik wil die zapper hebben en ik wil hem nu! Necroid beweegt
hemel en aarde om die zapper in handen te krijgen. Weet je dat
ze je vader er twee miljoen euro voor geboden hebben? Nee,
vraag je maar niet af hoe ik dat allemaal weet. Ik heb op het werk
een dienstnota onderschept die de zapper precies beschreef. Het
kon geen toeval zijn. Het waarom begrijp ik niet, maar één
ding is zeker: Munte wil die zapper hebben. Ik ben degene die

hem op de hoogte heeft gebracht van het bestaan van de zapper. Tijdens een lunch, een maand of twee geleden. Maar wat zou hij ermee willen? Dat klopt niet, zie je! Wat is er zo belangrijk? Ik ken het antwoord niet, maar ik heb wel een theorie: ik denk, Matt, dat hij iets gevonden heeft in het Dodenbos. Iets dat met die zapper heeft te maken. Iets dat zo belangrijk is dat er mensen voor moeten sterven.'

'Zoals paps?' Matt trok rimpels in zijn gezicht van het peinzen. Dit klopte met wat paps had gezegd in zijn bestand. Waar waarom plaatste Herbert zichzelf nu in de vuurlinie? Dat kon alleen maar betekenen dat er voor hem een grote beloning aan vasthing.

'Geef mij de zapper, Matt,' smeekte Herbert begerig. 'Voor je zelf in gevaar komt!'

Matt vroeg zich af of hij de kerel verder moest uithoren: 'Ik weet niet waarover je het hebt. Maar wees gerust: wist ik het wel, dan kreeg je 'm niet. Ik hou niet van inbrekers. Je mag van geluk spreken dat ik de politie er niet bij haal!'

'Je speelt met vuur, jongen. Je begrijpt niet met welke krachten je speelt.'

'Jij dan wel? Vertel het me dan, misschien kan ik je helpen.'

Herbert stond intussen te stampvoeten. 'Ik ben er zelf nog niet uit, maar die zapper is de sleutel, dát weet ik intussen wel. Vertel op, waar is hij?'

'Geen idee.'

Herbert schudde met zijn vuist en stond te trillen op zijn benen. 'Daar krijg je spijt van, jongen. Ik krijg die zapper wel en jij, jij krijgt hier spijt van!'

Matt haalde opgelucht adem en moest gniffelen toen Herbert

zich weer over het hek werkte en daarbij zijn broek scheurde. Daarnet kreeg hij het toch wel eventjes benauwd. Eén ding wist hij nu zeker. Herbert was een lijkenpikker, maar hij was geen moordenaar. Want de moordenaar had de zapper gepikt en Herbert had hem niet. Wat was dat toch met die zapper? Waarom was dat ding zo belangrijk dat er inbraken en moorden voor werden gepleegd?

Matt wachtte enkele minuten nadat Herbert uit het gezicht was verdwenen en plukte dan zijn fiets uit het schuurtje. Skip woonde nauwelijks een halve kilometer verderop. Met een auto kon je bij zijn huis niet komen, er was enkel een weggetje waar je met de fiets tussen een heg en een betonnen muurtje door kon. Aan het eind van het pad was er een moestuin met daarachter een huis dat nog voor de Eerste Wereldoorlog was gebouwd. Het had groen geschilderde luiken en een koperen bel die je met een fikse ruk aan een touw kon laten schellen.

Skips ouders hielden van 'oud'. Er stonden kasten uit de negentiende eeuw in de woonkamer en in een grasperk voor het huis lag een karrenwiel dat ze bij aankoop van het huis uit een oude paardenstal hadden gesleept. Ze hadden geen auto en gingen overal met de fiets of met de trein naartoe. Ze hadden zelfs geen televisie, alleen een radio en een telefoon. Matt vond het er onwaarschijnlijk mooi en knus, als een soort oase in de razende wereld eromheen. In huis hadden ze alle comfort, maar geen luxe.

Skip verzette zich echter met hand en tand tegen wat hij 'de invasie van het antiek' noemde. Zijn smeekbeden om een gsm vielen in dovemansoren. Gsm's waren des duivels en dus had Skip al twee jaar lang zijn zakgeld bij elkaar gespaard, tot hij er zelf een kon kopen. In het geniep. Hij bezat het kleinood ondertussen al twee maanden.

Skip was al enkele jaren Matts beste vriend. Waarschijnlijk omdat Skip altijd voor alles openstond en nooit met de meute meeheulde. Als de hele bende zei dat iets wit was, dan wees Skip hen er wel op dat het eigenlijk zwart was. Dat mocht Matt wel. Skip was misschien de enige die niet tot vervelens toe had gezeurd over de dood van paps, zo kort na die van mams. De ochtend na de moord had hij één keer gezegd: 'Dat is rot voor je, man. Echt ziekelijk schimmelrot.' Hij vloekte de woorden eruit. En daarmee was alles gezegd.

Ten huize Skip was het weer hommeles. Dat gebeurde vaker. Ma en Pa Skip wisten soms niet meer wat ze met hun rebelse tiener moesten aanvangen en ze gingen wel eens uit wanhoop aan het roepen en het tieren. Soms hoorde daar een lijfelijke achtervolging bij die jolige vormen aannam. De laatste keer, herinnerde Matt zich, was twee maanden geleden. Toen was Skips moeder op zijn kleine verzameling seksblaadjes gestoten. Met kreten als 'Ik ben toch een gezonde jongen!' en 'Seks is nodig! Of ben ik soms een kloon?' had hij zich ook toen spoorslags uit de voeten moeten maken. Hij had zijn verzameling niet uit de brand kunnen slepen en brak zich nu het hoofd over de aanleg van een nieuwe.

Toen Matt in de machtige moestuin aangefietst kwam, rende Skip net de voordeur uit. Hij werd op de hielen gezet door een gebalde vuist en allerlei verwijten en vermaningen, maar Skip liet zich niet gemakkelijk pakken. Hij stuurde zijn wilde stormloop bij, zag Matt en spurtte als een wereldrecordverbeteraar op hem af. In zijn hand klemde hij het glimmende kastje van zijn gsm – mét kleurenscherm, camera en nog een heleboel zinloze, maar o, zo coole snufjes. Matt begreep meteen hoe laat het was. Skip senior had de zondeval van zijn zoon ontdekt en was in actie gekomen. Senior kwam als een briesende stier naar buiten gestormd, gleed bijna uit toen hij afremde om de afvallige in zijn blikveld te krijgen.

Skip verspilde geen tijd. Hij knalde als een schicht langs Matt heen, gilde 'de kreupelhut!' en ging er als een scheet vandoor. Zijn vader zette boertig de achtervolging in. Alle betrokkenen hadden allang door dat de man geen schijn van kans had. Op zijn houten klompen en gekleed in een blauwe overal, compleet met rode zakdoek en witte bollen, was Skips vader niet opgewassen tegen de hi-techsportschoenen van zijn zoon. Matt nam de tijd om een meelijwekkende blik op de klompen te gooien (oud was goed, maar die klompen waren er toch wel over) en draaide daarna zijn fiets om Skip met een iets groter gemak te volgen.

De kreupelhut was Skips geheime schuilplaats. Ze bevond zich in de kersenboomgaard, een kilometer verderop. De boomgaard werd al minstens tien jaar niet meer gebruikt en was behoorlijk verwilderd. Al rennend kon Skip een binnenweg door het veld nemen, maar Matt moest er langs een omweg naartoe. Hij trapte lustig door en kwam ongeveer gelijktijdig met Skip aan bij de boomgaard. Vanaf hier trok hij zijn fiets tussen de bomen tot hij door het struikgewas en de sinds jaren niet gesnoeide bomen niet meer verder kon. Hieraan had de kreupelhut haar naam te danken: aan de schrammen en de teken die je moest trotseren om er te komen. De hut was een natuurlijke uitsparing onder een van de hoogste bomen, verder ondersteund en afgeschermd met hout van kratten. Het was er tamelijk droog.

Skip was er al. Hij zat op de grond met zijn armen om zijn opgetrokken knieën en wiegde langzaam heen en weer op zijn achterwerk. In zijn hand met witte knokkels perste hij zijn gsm haast fijn.

Skip was, in de woorden van sommige klasgenoten, een lange slungel. Hij stak een hoofd boven Matt uit, maar was broodmager. Er zaten altijd enkele weerbarstige haartjes op zijn kin die zich probeerden te groeperen tot een baard. Zijn vlaskleurige haar zat steevast door elkaar. Een beugel complementeerde zijn wat scheve gezicht.

'Deze geef ik niet af!' siste Skip, terwijl hij nog nahijgde. 'Al moet ik hier komen wonen. Het kan me niet schelen, maar ze gaan me die gsm niet afpakken. Ik val nog liever dood! Echt, ik meen het! Ik heb hiervoor gespaard. Het heeft hen geen enkele duit gekost. Als ze me dit afpakken doe ik ze wat!'

'Skip,' zei Matt. 'Kalmeer. Ze draaien wel bij.'

'Ja, dat zal wel,' zei Skip. Hij zweeg, terwijl hij zijn gsm streelde alsof het zijn liefje was. Matt deed er even het zwijgen toe. Als je de betovering verbrak, was Skip de rest van de dag nijdig op je. Even wachten dus. Uiteindelijk lieten zijn ogen het mobieltje los. Hij vroeg: 'Nou, wat is jouw verhaal?'

'Dat zal ik je vertellen, als je wilt luisteren.'

Skip zette zijn gsm uit en borg hem op. Dat wilde heel wat zeggen. 'Oké, ik ben één en al oor.'

Matt deed het hele verhaal. Natuurlijk wist Skip allang wat er gebeurd was met paps en wat Matt van Quickner dacht, maar van de notities op de computer van paps viel zijn mond karrenwielwagenwijd open. 'Dat is geen kouwe kak!' riep hij. 'Heb je een uitdraai?'

Matt haalde zijn schouders op. 'Nee. Wil je een bewijs of zo?'

'Nee, ik geloof je wel. Verrek, kerel, dat is beroerd. Nee, dat is niet beroerd, dat is, dat is …' Skip maakte wilde gebaren terwijl hij op zoek was naar een passend woord. Hij vond het: 'Dat is daveringwekkend!'

Matt deed zijn best om niet aan paps te denken. Er was niets meer dat hem nog kon terugbrengen. Hij zei: 'Daveringwekkend? Dat zal wel. Paps heeft min of meer zijn eigen dood voorspeld. Maar wat moet ik nu?'

Skip bleef voorzichtig: 'Je zou naar Quickner kunnen gaan …'

Matt ontplofte bijna. 'Ben je gek? Die weet nog niet wat een moord is, zelfs al wordt er voor zijn neus een gepleegd. Wat moet ik bij hem met een mysterieus verhaal …'

'… over vage dreigementen en enkele toevallige sterfgevallen,' vulde Skip aan. 'Oké. Die mogelijkheid valt af. Dan ligt het in onze handen.' Kordaat marcheerde hij de hut uit. 'Kom je?'

'Waar naartoe?'

'Wat dacht je? Het Dodenbos, natuurlijk. Maar eerst mijn fiets halen. Pa zal intussen wel bekoeld zijn.'

Pa Skip was nergens meer te bespeuren. Hij had waarschijnlijk stad en land afgelopen op zoek naar zijn verloren zoon, of hij was zich nu aan het bedrinken aan liters zelfgebrouwen bier. Ma Skip was alvast haar beklag bij de buren gaan doen. Skip maakte van hun afwezigheid gebruik om zijn fiets – geen nieuwe, maar een oude die door pa zelf opgekalefaterd was – uit het schuurtje te grissen.

Het was een kwartiertje fietsen naar het Dodenbos, nauwe-lijks vijf kilometer. Het lag buiten het dorp. Volgens de legende had zich daar ooit het oorspronkelijke dorp van Kempier bevonden. De ruïne van de kerk bevestigde dat vermoeden. Maar het loofbos dat er nu stond, was al minstens vier eeuwen oud.

Ver kwamen ze niet. De zandweg die naar het bos liep, was afgezet. PRIVÉ-TERREIN en VERBODEN TOEGANG stond er op twee afzonderlijke borden. Op een derde bord prijkte het logo van NECROID DEVELOPMENT. Matt keek even opzij naar Skip. Terugkeren of doorgaan? Skip haalde zijn schouders op. Verbodsborden konden hem wat. Koppig manoeuvreerde hij zijn fiets langs de borden heen. Matt volgde hem. De donkere rand van het bos tekende zich enkele honderden meters verder af. Daar kon je al een stuk van de omheining zien die ze hadden opgericht. Drie meter hoog, met een scherp gekartelde boven-kant en voorzien van stevige, groen metalen tralies waar met moeite een wezel tussen kon. Het werk lag stil. Er was niemand te zien. Toch voelde Matt zich onrustig worden. Hier was paps een stukje gestorven.

Onder de bomen heerste een weldadige schaduw. Matt knip-perde even met zijn ogen. Hij vertraagde bijna automatisch, zodat hij spiedend rond kon kijken. Het pad liep rechtdoor, naar het midden van het cirkelvormige bos. Tot aan de over-kant, wist hij, was het drie kilometer. Waarom was het in de ver-te dan zo duister?

Hier had zich het verleden van Kempier afgespeeld, wist Matt. Het verleden waarvan paps en de mensen van het historische genootschap zo in de ban waren. Er was geen enkel geschiedenis-boek dat de details beschreef. Er waren geen geschriften bekend over wat er toen precies gebeurd was. Er was alleen de legende. De een had het over een watergeest en de ander over een vreemdeling uit een ver land, maar op één punt was elke versie van de legende het eens: iemand was het middeleeuwse Kempier binnengeslopen om er dood en verderf te zaaien. Vijfhonderd jaar geleden. Binnen afzienbare tijd was het hele dorp krankzinnig geworden. Er was een soort opstand losgebroken, een miniburgeroorlog die een einde maakte aan Kempier. Het dorp brandde af en de inwoners, alle driehonderd, bleven ofwel dood achter of trokken weg. Slechts een handvol mensen, onder leiding van de dorpspastoor, bleven in de buurt en bouwden een nieuwe kerk. De kerk die nu nog steeds in het centrum van het dorp stond, enkele kilometers hiervandaan. De overblijvers legden ook het Dodenbos aan. Het bos dankt zijn naam aan de vele slachtoffers die er toen waren gevallen.

De plek mocht dan wel ooit door een bende uitzinnigen geteisterd zijn, vandaag was het er bijzonder vredig, bedacht Matt. De zonnestralen werden gefilterd door het bladerdak en hielden de warmte op een afstand. Vreemd, dacht hij, dat het temperatuursverschil zo groot is. In de zon was het minstens vijfentwintig graden. Onder de bomen was het ronduit koud.

'Net zoals ik dacht,' zei Skip. 'Geen hond of kat te zien.'

Alsof dat een teken was, stond er plots iemand voor hen. Hij was niet uit de berm gesprongen of zo. Plots was hij er gewoon en hij was niet alleen. Links en rechts achter hem stonden nog twee mannen. Matt kneep hard in zijn remmen. Skip gooide zelfs zijn achterwiel opzij. Hij lanceerde een gecensureerde krachtterm.

De man had geen tijd om hen uitgebreid te verwelkomen.

39

'Wat doen jullie hier? Jullie zijn op privé-terrein. Jullie moeten onmiddellijk rechtsomkeert maken!' Toen viel zijn oog op de gsm die aan Skips broeksriem bengelde. 'Die gsm! Weg ermee! Nu, onmiddellijk!'

Het was een boom van een vent. Iemand die gemakkelijk met Schwarzenegger kon concurreren. Was dit de huurling waar paps het in zijn document over had? Hij droeg een grijze overall met daarop het logo van NECROID, net zoals zijn kompanen. Verder zag hij er normaal uit. Wat Matt wel een beetje griezelig vond, was dat hij lijkbleek was, bijna wit. Die had niet tot voor kort in het oerwoud van Brazilië gezeten. De man keek strak voor zich uit. Op zijn linkerslaap merkte Matt een klein, vreemd gevormd kruis op, dat wel een tatoeage leek of een brandmerk. Matt wist niet precies waar, maar hij had dat kruis al eens eerder gezien. De armen van het kruis stonden los van het verticale deel en wezen flauw naar beneden. Merkwaardig, vond Matt, dat de mannen een donkere bril droegen, terwijl je onder de bomen toch geen last had van het zonlicht.

'He, rustig, jongens! We maken gewoon een ritje!' wierp Skip tegen. 'Dat kan toch geen kwaad? Je laat ons schrikken, man!'

'Die gsm hier weg of ik pik hem in, verstaan?' brieste de gorilla.

Skip werd rood van woede. 'Als jij aan mijn gsm durft te komen, dan gaat de jouwe aan diggelen, stomme zombie!'

'Donder op!' balkte de Necroidman. Hij viste een gsm uit zijn zak. 'De toegang tot dit bos is verboden! Of zal ik de politie bellen?'

'Al goed!' zei Skip, die zijn hoofd merkwaardig scheef hield en alleen maar naar de gsm leek te kijken. 'We gaan al. Ook een goedemiddag gewenst.' Hij draaide zich om en begon te fietsen. 'Jezus, wat een klier!'

Matt keek niet achterom. Als hij door de kou al geen kippenvel had gekregen, dan was dat nu met die hartelijke ontmoeting zeker wel het geval geworden. Hij was blij toen de zon weer op zijn gezicht scheen. 'Zag jij waar die kerel vandaan kwam?'

Skip schudde grijnzend zijn hoofd. Hij stapte van zijn fiets om langs de berm het verbodsbord te omzeilen. 'Ik niet, nee. Als je me wilt vertellen dat Scotty hem voor onze neus *opgebeamd* heeft, dan geloof ik je.' Hij lachte opnieuw. 'Ik zal wel even niet opgelet hebben. Kwam er niet juist een sexy meid voorbij?'

'Dan hebben we alle twee niet goed opgelet. Ik zag hen ook niet. Waarom was hij zo gebrand op jouw gsm? Begrijp jij dat?'

Skip kneep veelbetekenend zijn ogen tot spleetjes. 'Nee. Als ik nog eens kom, dan laat ik hem thuis of ik stop hem in mijn zak, zodat ze hem niet zien. Ik kijk wel uit. En over gsm's gesproken. Heb je die vent zijn gsm gezien?'

'Ja, en?'

'Is je dan niets opgevallen?'

Matt haalde zijn schouders op. Hij wist wel dat Skip verzot was op die dingen en dat hij elk model op de markt tot in de puntjes kende. Daarom moest hij er nog niet vanuit gaan dat Matt er iets om gaf. Matt vond mobieltjes vooral verschrikkelijk onhandig. 'Niets.'

'Dat was een speelgoedje!' riep Skip triomfantelijk.

Dat sneed geen hout. Wat moest een kerel, die waarschijnlijk tot de security van Necroid behoorde, met een gsm die nep was? 'Dat is belachelijk. Je moet je vergissen!'

'Vergeet het!' Skip klonk beledigd. 'Dat ding was een prul. Een sinterklaasgeschenk voor kinderen van vier.'

'Dat slaat toch nergens op?' Matt haalde zijn schouders op. Skip sloeg de bal mis, maar als hij dat niet wilde toegeven, ook goed. 'Ik was in elk geval niet van plan heibel met die vent te maken. Hij zag eruit alsof hij me botje voor botje uit elkaar kon halen.'

'Zag je dat kruisje op zijn slaap?'

'Ja. Een soort tatoeage. Hij was ook wel erg bleek, hè? Alsof hij nog nooit de zon had gezien.'

Matt stopte voor de provinciale weg, die terug naar het dorp leidde. 'Maar daarmee zijn we nog geen stap verder.'

Skips gsm biepte. Hij stopte, haalde zijn mobieltje te voorschijn en liet zijn blik over het sms'je gaan. 'Ho! Karen vraagt of ik haar over een uur wil komen helpen in de winkel,' zei hij. 'Niet te missen. Dus hebben we niet veel tijd over.' Hij borg zijn gsm op en dacht even na. 'Je pa kan ons niets meer vertellen. Het Dodenbos is verboden terrein en de rest van de wereld hecht geen geloof aan jouw verhaal. Dus?'

'Vertel het mij maar, Sherlock!'

'Recht op de man af gaan.'

Ze gingen weer op de trappers staan en fietsten terug richting Kempier.

'Hoe bedoel je?'

'Necroid.'

Matt zette grote ogen op. 'Wilde je op Munte zelf afstappen? Maar natuurlijk, die zal even gauw in tranen uitbarsten en bekennen dat hij paps heeft vermoord. Wat een onzin, Skip! Trouwens, we komen nooit in zijn buurt.'

'In de zijne niet, nee. Maar misschien moeten we het aan Kirsten vragen.'

Kirsten Munte zat ook bij hen in de klas. Niettemin was ze even onbereikbaar als haar vader. Stinkend rijk en rotverwend. 'Kirsten is een turbotrut. Ze wil met gepeupel zoals wij niets te maken hebben. Als we bij haar aanbellen, veegt ze ons als vuil van de stoep.'

Skip keek Matt aan alsof die niet wilde geloven dat de aarde rond was. 'Geloof jij dat er iets aan de hand is in het Dodenbos?'

'Geloven? Ik ben er zeker van!'

'Wil je weten wat?'

'Natuurlijk!'

'En hoe wilde je dat aan de weet komen?'

'Eh ...'

'Ja, dat dacht ik al. Kirsten mag voor mijn part denken dat ik een stuk kauwgom onder haar schoen ben. Dat laat me koud. Zij is de enige die ons in het Dodenbos kan binnenloodsen.'

Ze waren opnieuw in het dorp aangekomen. Matt zag plots waarom het kruis op de slaap van de Necroidman hem bekend voorkwam. Hetzelfde prijkte ook hoog en droog op de kerktoren van Kempier.

Kirsten Munte was boos.

Dat was niets bijzonders. Trouwens, de dagen waarop Kirsten *niet* de smoor inhad, waren zeldzamer dan een klavertje vier. Maar vandaag was ze wel extra pisnijdig. Ze was kwaad op haar pa, omdat die al twee maanden geen minuut tijd meer voor haar had. De zak. Ze was kwaad op haar ma, omdat die alleen maar mooi kon zijn. Het lijf van Lara Croft en de hersens van een regenworm met Alzheimer. Precies daarom was pa natuurlijk met haar getrouwd. Om met haar te showen en verder geen vermaledijd woord van haar te moeten horen. *Soit belle et tais-toi.* De trut. Ze was ook behoorlijk kwaad op de huishoudster, want die liep Kirsten voortdurend voor de voeten en wist de laatste tijd haar plaats niet meer. Pa moest haar maar dringend ontslaan. Ten vierde was ze razend op haar kapper, want die had haar vanochtend niet het kapsel bezorgd dat ze gevraagd had. Ten slotte kon ze haar tennisleraar niet meer luchten. Die had zo'n schokkend gebrek aan talent dat hij haar niets meer kon leren.

De kwal stond aan de overkant van het terrein en kon met moeite haar opslag retourneren. Kirsten gleed opzij en knalde de bal met een gekruiste forehand terug. De tennisleraar stond erbij en keek ernaar.

'Game en set!' riep de *loser.* 'Wauw!'

Ja, precies, wauw. Een lovegame en 6-1 in de set. Ze veegde de vloer met hem aan.

Kirsten gunde hem blik noch woord en zocht de douches

op. Terwijl ze onder de warme waterstralen stond, vroeg ze zich af hoe het kwam dat ze het nooit lang kon vinden met mensen. Ze had geen vriendinnen op school, laat staan vrienden. De jongens keken wel eens steels naar haar, maar dat was alleen omdat ze er goed uitzag. Er was er niet één die eraan dacht om het met haar aan te leggen. Ze keken wel uit. Springen uit een vliegtuig zonder parachute vonden ze vast veiliger. De leraren mochten haar ook niet. Ze was te slim en te snel. En ze was niet op haar mondje gevallen. Ze had al een paar van die klojo's voor schut gezet.

Eén keer had ze zich aangesloten bij een jeugdbeweging. Dat had precies twee uur geduurd. Daarna begon ze met iedereen heibel te maken en was ze stomend van woede afgedropen.

Toen ze zich aankleedde, besefte Kirsten precies waarom ze het niet met mensen kon vinden: mensen waren dom. Onuitstaanbaar, onvergelijkbaar, niet te omschrijven dom. Allemaal, met uitzondering van haar vader. Ze waren zo ongelooflijk achterlijk dat ze op haar zenuwen werkten nog voor ze 'hallo, hoe maak je het?' zeiden.

Kirsten gooide haar tennisoutfit en haar rackets in een rugzak en hing die over haar schouder. Via de hal kwam ze in de cafetaria. Terwijl ze naar een tafeltje liep, knipte ze met haar vingers. 'Een cola light! En met ijs en een partje citroen, graag!' Het was niet de eerste keer dat ze haar een halflauwe cola zonder prik voorschotelden.

Ze zat nog maar nauwelijks of daar kwamen al twee etters aangelopen. Hier was ze niet voor in dit stemming. Met een zenuwachtig geschuur van stoelpoten ploften ze voor haar neer. 'Goeiedag, Kirsten!'

'Nee,' zei Kirsten. 'Dat is het niet.'

Ze kende die twee. De ene was Matt. Een onopvallende middelmater met een knap gezicht en een IQ onder zeeniveau. Zo stom dat hij pa ervan verdacht zijn vader te hebben vermoord. Dat had ze vernomen van die debiele inspecteur Quickner. De andere heette Skip. Lelijk als de nacht, maar niet achterlijk en vooral: het kon hem geen moer schelen wat je van hem dacht. Misschien de enige in de hele klas met een greintje gezond verstand. Maar zijn blik volgde elk meisje dat voorbijliep en als ze een korte rok droeg, ging hij er bijna van hijgen. Had zichzelf niet in de hand.

Kirsten betaalde het glas cola en dronk ervan. Ze was niet van plan een gesprek aan te knopen met die twee en deed dus alsof ze er niet zaten.

'Kirsten,' begon Matt. Het leek wel of zijn stem beefde. Dat vond ze wel grappig. De kluns was bang voor haar! 'We moeten je iets vragen.'

Kirsten nam een slok en vroeg zich af hoe ze van hen af kon komen. Gewoon dat glas leegdrinken en haar ma opbellen, zodat die haar kon komen ophalen.

Matt keek Skip aan. 'Ze luistert niet!'

'O jawel,' zei Skip. 'Kirsten luistert altijd en overal. Vertel je verhaal maar. Ik wed dat ze ogen zal opzetten. Al zul je daar natuurlijk niets van merken. Kirsten heeft altijd alles onder controle!'

Dus stak Matt van wal. En Kirsten luisterde. Van jongs af aan had ze geleerd dat er niets zo belangrijk was als luisteren en lezen. Geen betere manier om kennis op te doen en kennis is macht. Ze luisterde naar het verhaal van die ijzingwekkende nacht en de gruwelijke dood van Matts vader. Ze luisterde naar

de valse theorieën van inspecteur Quickner en naar de aanwij-
zigingen die Matt en Skip al gevonden hadden om het tegendeel te bewijzen. Misschien, dacht ze even, was Matt helemaal
niet zo dom als hij eruitzag. Hij dacht ook blijkbaar hetzelfde
over de inspecteur als zij. Maar de passage over de betrokken-
heid van haar vader was natuurlijk belachelijk. Ze probeerde
haar schok te verbergen toen Matt terloops vertelde over het
litteken op de wang van haar vader. Dat klopte. Hij was een
maand of twee geleden tijdens een bezoek aan het Dodenbos
gewond geraakt, en hij had niet de moeite genomen om er een
dokter bij te halen. Dit soort details was belangrijk. Het bewees
dat Matt dit niet uit zijn duim zat te zuigen. Tenminste, niet
helemaal.

Matt had alles zo snel verteld dat hij op het eind even naar
adem moest happen. Er viel een ongemakkelijke stilte. Matt keek
zenuwachtig naar Skip. 'Zie je wel, ze luistert niet!'

Met een handgebaar maande Skip hem aan tot geduld. 'Wacht
even. Ze denkt na.'

Kirsten keek steels naar Skip. Ze dronk nog eens en zei dan:
'Het is een volslagen idioot verhaal.'

Skip haalde zijn schouders op. 'Het klinkt in elk geval idioot, zover ben ik het met je eens. Maar de dood van Matts vader is een feit, de notities van zijn vader zijn een feit en het
werk in het Dodenbos ook. Ik weet ook niet wat er allemaal
aan de hand is, maar ik wil het wel graag uitzoeken. De politie erbij betrekken is zinloos. Die Quickner is waardeloos. We
moeten het Dodenbos zien in te komen.'

'Dan ga je er toch gewoon naartoe?'

'We komen er net vandaan. We komen er niet in. We werden tegengehouden door drie gorilla's die nodig naar de zonnebank moeten.'

'Doe niet zo belachelijk!'

'Sorry, ik kan het niet helpen. Ben zo geboren. Geloof je ons niet? Kom dan met ons mee.'

'Op de plek van het Dodenbos komen drie nieuwe wijken, een winkelcomplex en een recreatieoord. Daarvoor is echt geen bewaking nodig.'

Skip keek haar meewarig aan. Kirsten knipperde nerveus met haar ogen, want dat was ze niet gewend. Gewoonlijk was het andersom. 'Je hébt toch wel geluisterd, hè? Volgens Matts vader komen die wijken en al de rest er helemaal niet. Necroid heeft zijn plannen begraven en is in het bos met iets heel anders bezig. Iets waarvan niemand mag weten wat. Zelfs jij niet.'

'Pa zou nooit ...' begon Kirsten, maar ze maakte haar zin niet af. Pa zou nooit iets voor me verzwijgen, had ze willen zeggen. Ooit was dat misschien waar geweest. Maar de laatste tijd had hij geen aandacht meer voor haar. Het Lazarusplan slokte hem helemaal op. Veel meer dan andere projecten waar hij mee bezig was. Hij was een vreemde geworden.

'Onderweg hierheen hebben Matt en ik een theorietje uitgewerkt,' zei Skip. 'Wil je het horen?'

'Laat me raden,' glimlachte Kirsten. Wat dachten die jongetjes wel? Dat ze één en één niet kon optellen? 'Matts vader dacht dat er iets in het Dodenbos zit. Dat 'iets' heeft te maken met die zapper die hij maanden geleden heeft opgegraven en dus ook met wat er vijf eeuwen geleden in het Dodenbos is gebeurd. Jullie geloven dat mijn vader met dat 'iets' bezig is en dat hij daarom zo geheimzinnig doet.'

Skips gezicht was goud waard. Zijn mond viel wagenwijd open. Het had hen natuurlijk heel de namiddag gekost om tot datzelfde besluit te komen. Kirsten deed het in twee minuten.

'Het is maar een theorie,' zei Skip met een schaapachtig gezicht. 'We kunnen niets bewijzen en als ik goudeerlijk tegen je ben, dan denk ik dat er niets van klopt. Maar het *is* een mysterie. Wij *willen* het Dodenbos in en dat lukt ons niet zonder jou. Wat zeg je: help je ons?'

Kirsten sloot haar ogen en deed alsof ze heel erge dorst had. Ze slokte het hele glas bijna in één teug leeg. Dat gaf haar de tijd om even na te denken. Op het eerste gezicht leek het verhaal van dit komieke duo lachwekkend. Iets wat je in een derderangs weekblad las, naast verhalen over vliegende schotels en klopgeesten. Natuurlijk was er helemaal niets aan de hand. Necroid stampte in het Dodenbos een immens project uit de grond. Het bedrijf had van alle kanten de wind van voren gekregen. De groene beweging, geschiedkundigen, de lokale bevolking, zelfs de gewestelijke regering. Er was de afgelopen twee jaar, sinds de bekendmaking van het project, flink betoogd. Matts vader had daartoe trouwens dikwijls het voortouw genomen. Nu alle vergunningen in kannen en kruiken waren, bleef voorzichtigheid geboden. Er was extra bodemonderzoek nodig. Dat kon enkele maanden duren. En dat klonk als officiële versie helemaal niet onzinnig, vond Kirsten.

Aan de andere kant had Matt doorslaggevende argumenten. De dood van zijn vader was écht wel een mysterie. Ze geloofde ook niet dat Bruno Pinter zelfmoord had gepleegd. Daarvoor waren de notities op zijn pc, waarvan sommige griezelig juist waren, veel te nuchter. Bovendien had haar eigen vader al twee maanden geen woord meer tegen haar gezegd. Als hij al iets zei, dan was het een korte grom alsof hij er niet te veel woorden aan vuil wilde maken, of een fel geblaf als ze iets verkeerd deed. Dat was heel plotseling gekomen, van de ene dag op de andere. Ze herinnerde het zich nog precies. In mei was hij tijdens een weekend op zakenreis geweest. Daarvan was hij als een ander man teruggekeerd. Koud, teruggetrokken, zelfzuchtig.

Er was *iets* aan de hand, zoveel was zeker. Had het iets te maken met het Dodenbos? Waarschijnlijk niet, maar net zoals Skip wilde ze het wel eens uitpluizen. Ze zette haar glas weer op tafel en zei: 'Jullie lopen veel te hard van stapel.'

Maar Matt had genoeg van haar getalm: 'Wat bedoel je daarmee?'

Oei, oei, de middelmater kreeg het op zijn heupen. 'Het eerste wat we te weten moeten komen, is wat er precies in het Dodenbos is gebeurd, vijfhonderd jaar geleden.'

'Dat weet niemand precies. Het is een legende.'

'Elke legende bevat een grond van waarheid.'

'Dat zal wel. Maar welke? Er zijn geen geschriften bewaard gebleven uit die tijd.'

'Wie zegt dat?'

Matt rolde met zijn ogen. Hij begon zijn geduld te verliezen. Goed, dacht Kirsten. Kruip maar eens uit je schulp. Alles was beter dan jongetjes die bang voor haar waren. 'Paps, de andere leden van het historische genootschap, noem maar op. De geschiedenis van het oude Kempier is van begin tot eind uitgeplozen. Alle geschriften uit die tijd zijn vernietigd. Of ze zijn er nooit geweest. Het was een klein dorp. Waarschijnlijk kon alleen de dorpspastoor lezen en schrijven.'

'Wie is de expert op het gebied van de geschiedenis van Kempier?' vroeg Kirsten.

Ze zag Matt nadenken. Hij ging in zijn hoofd vast de leden van het historische genootschap na. Ze onderbrak zijn gedachtegang: 'Hij woont aan de holle weg. In het kasteel.'

Heel even zag ze Matt in zijn geheugen graven. Toen klaarde zijn gezicht op: 'Bedoel je ... Bedoel je Heavy Archie?' Matt lachte. 'Werkelijk Kirsten, ik dacht dat je slimmer was dan dat! Archie is de dorpsidioot. Stapelkrankzinnig. Hij wordt overal weggelachen.'

Kirstens gezicht betrok. Slimmer? 'Zullen we het even over verstandelijke ontwikkeling hebben, Matt? Wilde je weten hoever je precies achterop hinkt? Wil je de omvang van je erwtenbrein even meten? Of schakel je het liever helemaal uit? Veel verschil zal het niet maken. Ik zeg dat als je wil weten wat er precies in het Dodenbos is gebeurd, vijf eeuwen geleden, dat je Archie moet opzoeken. Verstandige mensen worden wel eens meer voor gek versleten. Meestal omdat andere mensen te dom zijn om te begrijpen wat ze zeggen.' Ze hoonde. 'Het hele historische genootschap vermoedt al jaren dat hij er alles over weet. Maar er is herrie tussen Archie en de voorzitter.'

'Herbert Kuyken?' vroeg Matt, plots geïnteresseerd. Herbert was de voorzitter van het genootschap.

Kirsten knikte. 'Al twintig jaar. Iets met een erfenis. De details ken ik niet. Als je af en toe de tijd nam om naar mensen te luisteren, dan wist je dat. Heavy Archie wordt als dorpsgek versleten, omdat Herbert Kuyken hem zo heeft afgeschilderd. Hij laat geen kans voorbijgaan om Archie door het slijk te halen. Hij heeft een bloedhekel aan Archie en hij weet ook waarom. Archie bezit meer kennis en materiaal over de geschiedenis van het oude Kempier dan wie ook in het dorp – zelfs meer dan wie ook ter wereld. Geen wonder, want hij doet al jaren onderzoek. Kuyken is als de dood dat Archie een belangrijke ontdekking zal doen. Hij wil namelijk zelf de primeur. En daarvoor gaat hij over lijken.'

Dat was al de tweede keer die dag dat de naam van Herbert Kuyken opdook, bedacht Matt. Aan dit verhaal te oordelen was zijn gevoel over de sluwheid van de man inderdaad juist geweest. Misschien was Heavy Archie er door schade en schande achtergekomen hoe doortrapt Herbert wel was. Misschien was Archie flink getild door Kuyken. Maar moest hij zich daarvoor uit de wereld terugtrekken?

'Hoe weet jij dat allemaal?' wilde Matt weten.

'Herbert Kuyken is manager bij Necroid, Matt, jongen,' zei Kirsten hatelijk.

Skip probeerde de plooien glad te strijken: 'In elk geval, Heavy Archie woont in het kasteel aan de holle weg. Een soort versterkte vesting. Je hebt een team paracommando's nodig om er binnen te komen. Prikkeldraad, honden, boobytraps, noem maar op. En hij doet de deur heus niet spontaan voor je open.'

Kirsten haalde haar schouders op. 'Zijn we bang?'

Skip schuddekopte snel. Te snel. 'Nee!'

Ja dus, besloot Kirsten. Vond ze niet erg. Je mocht best angst hebben, als je die angst maar de baas kon. Ze keek naar Matt. Die keek uitdagend terug. Mooi zo. 'Dus we doen het?' Ze knikten allebei. 'Oké. Dan zie ik jullie vanavond om acht uur in de holle weg.'

Ze keek tussen de twee jongens door naar de toegangsdeur van de cafetaria. Haar vader was net binnengekomen. Precies zoals hij beloofd had. Ze wist niet of ze blij moest zijn met zijn komst of niet. Verrast was ze in elk geval wel. Hij beloofde de laatste tijd wel meer dingen die hij niet nakwam. Misschien was het eindelijk tot hem doorgedrongen dat hij wat goed te maken had. Of misschien was er deze keer nog wat tijd overgebleven voor haar. Ze wist dat hij het razend druk had met het Lazarusplan. Nog nooit had hij iets van die omvang ondernomen. Als hij dit tot een goed einde bracht, behoorde hij als manager tot de absolute wereldtop. Dan zou hij algauw de hele wereld afschuimen en in een half jaar meer geld kunnen verdienen dan de meeste mensen in hun hele leven. Ze begreep zijn verbetenheid wel. Maar daarom hoefde ze het nog niet leuk te vinden. Zijn vrouw was er een om mee te pronken en ze hadden een kind samen omdat dat zo hoorde. Omdat het familieplaatje dan perfect was. Nu was zijn dochter hem tot last geworden, dat kon ze zo afleiden de laatste tijd. Hij was zo koud als ijs geworden.

Ze stond op, precies op het ogenblik dat Marcel Munte bij hun tafeltje was aangekomen. Kirsten moest een glimlach onderdrukken toen Matt en Skip opsprongen alsof ze door een horzel gestoken waren. Ze deinsden een beetje achteruit, alsof ze bang waren om besmet te worden door een of andere gruwelijke ziekte. Haar blik gleed terug naar haar vader en ze begreep meteen waarom. Zelf was ze het inmiddels gewend, maar haar vader zag er ziekelijk bleek uit en zijn ogen stonden dof. Afgemat, wist ze, doodop, omdat hij achttien uren of meer per dag werkte en geen weekends of vakantie meer kende. Hij zag er onaangenaam uit.

'Vader,' zei ze. 'Mag ik je voorstellen?' Terwijl ze sprak, dacht ze: ik noem hem vader, alsof hij een vreemde is. Matt noemde zijn vader paps. Skip waarschijnlijk ook. 'Matt en Skip. Twee eh … schoolkameraden.' Een leugentje om bestwil. 'Jongens, mijn vader, Marcel Munte.'

'Mijnheer,' stamelde Matt, terwijl hij Munte met tegenzin toeknikte.

Munte zei niets. Hij keek de jongens allebei enkele ogenblikken aan en keek dan even omhoog, alsof hij naar iets luisterde. Daarna gleed zijn blik weer naar zijn dochter. 'We gaan,' zei hij en hij keerde zich om.

Kirsten haalde haar schouders op. 'Tot straks,' zei ze, alvorens achter hem aan te lopen.

'Ze komt niet,' zei Matt, en: 'Het is een over het paard getild wicht.'

Skip keek over de rand van de holle weg naar het vervallen kasteeltje en grijnsde. 'Je kunt van Kirsten veel dingen zeggen, maar een wicht zou ik haar niet noemen.'

'Als ik niet beter wist, zou ik denken dat je een oogje op haar hebt,' spotte Matt.

'Het idee! Maar lelijk is anders.'

Matt vond haar in elk geval een arrogant mens. Haar blik alleen al sprak boekdelen. Ze vond zichzelf een genie en Matt en Skip een paar domoren. Als ze met iemand sprak, dan was het om uit te leggen hoe onderontwikkeld hij of zij wel was. Geen wonder dat ze geen vrienden had. Wat Matt betrof, kreeg ze één kans: als ze hen een stap dichter bij het raadsel van het Dodenbos kon brengen, best. En anders kon ze hem de boom in.

Het oude kasteeltje van de heren van Kempier was volledig omringd door een hoge stenen muur. Er was maar één poort en die was dicht. Vanuit hun huidige positie zagen ze het kasteel en de muur in de verte beneden liggen. Het was een achttiende-eeuws gebouw, hoog, recht en met spitse torens. Tussen de muur en de torens lag een compleet verwilderde tuin, zo groot dat je er een hele indianenstam in kon verbergen. Toen Heavy Archie hier zijn intrek had genomen, was de jungle meegekomen.

'Daar is ze!'

Kirsten kwam aangefietst op een blits rijwiel dat waarschijnlijk evenveel had gekost als een kleine auto. Op de bagagedrager zat een merkloze zwarte tas. Ze stapte af zonder te groeten en nam de tas van haar fiets. Daarna klom ze naar de rand van de holle weg. Zonder een woord liep ze op de muur van het kasteeltje af.

'Ook een goeienavond,' zei Matt. Met tegenzin volgden ze haar. Voor de muur bleven ze staan. Matt keek omhoog. Die muur was minstens vier meter hoog.

'Avond?' vroeg Kirsten. 'Het is hoogzomer. Het is pas avond als de zon ondergaat. Hebben jullie de poort al geprobeerd?'

Skip schudde zijn hoofd. 'Hoeft niet. Die is altijd op slot.'

'Hoe wou je dan binnen komen? Door de muur heen? Die is minsten een meter dik.'

Matt keek naar Skip en Skip keek naar Matt. 'We dachten eigenlijk dat jij daar een antwoord op had.'

Kirsten zuchtte lang en duidelijk. Ondertussen opende ze haar tas. Ze haalde er een stevig stuk touw met een ankerhaak uit. Die stopte ze in Matts handen. Ten slotte viste ze nog een half dozijn jute zakken uit de tas.

Matt woog touw en haak in zijn hand. 'Dit begrijp ik,' zei hij. 'Maar waarvoor dienen die zakken?'

'Dat merk je zo meteen wel.' Kirsten duimde naar boven. 'Hup! Klimmen!'

'Ik?'

'Aan jouw de eer,' zei ze. 'Dit is mijn zaak niet. Ik lever alleen advies.'

Dat was natuurlijk onzin. Als dit haar zaak niet was, dan stond ze hier niet. Ze was op zijn minst nieuwsgierig. Of ze wilde het blazoen van haar vader witwassen. Hoe dan ook, ze stond hier niet om Matt een plezier te doen. Matt keek naar Skip, maar die deed behoedzaam een stap achteruit. 'Ze heeft gelijk, ouwe jongen. Het is jouw mysterie, dus jij mag eerst.'

'Je hebt al heel wat minder praatjes dan vanmiddag, me dunkt. Angst gekregen in het Dodenbos?' Matt haalde zijn schouders op. 'Vooruit dan maar.'

Het kostte zes pogingen voor de haak achter de muur bleef zitten. Al vanaf de eerste poging bleek Matt een gevaar voor de omstanders. Kirsten en Skip deinsden achteruit voor de vervaarlijk zwiepende haak. De haak knalde tegen de muur op een hoogte van ongeveer een meter. De tweede keer beet de haak in het gras en bij de derde poging knevelde hij bijna zichzelf. Maar toen de haak eindelijk over de muur verdween, was het meteen raak. Ter controle ging Matt met zijn hele gewicht aan het koord hangen, maar de haak bleef waar hij was.

Matt keek onzeker omhoog. Tot hiertoe was alles nog een spelletje geweest. Nu werd het ernst. Over de tuin van Heavy Archie deden de wildste geruchten de ronde. Dat er wilde dieren in rondsnuffelden, bijvoorbeeld. Of dat hij vol valstrikken zat. Er waren er zelfs die beweerden dat het er spookte. Natuurlijk. Zenuwachtig trok Matt het touw strak.

Kirsten vouwde de jute zakken in de lengte dubbel en gooide ze over zijn schouder. 'Voor als je boven bent.'

Matt begreep het nog steeds niet, maar Skip gaf hem een bemoedigend klopje op zijn schouder en zei: 'Veel geluk.'

Dat was het startschot. Hoe hij aan een touw omhoog moest klimmen wist Matt niet, dus wandelde hij tegen de muur naar boven, terwijl hij zichzelf omhooghees. Dat ging redelijk vlot, maar hoe hoger hij kwam, hoe korter het touw en hoe minder hard hij kon hijsen. Puffend bereikte hij de rand van de muur. Hij keek erover heen. Hij schrok van wat hij zag. Wat een geluk dat zijn handen het touw nog niet hadden losgelaten. Iemand met veel tijd en nog meer glasafval had de top van de muur bezet met glasscherven, die in een laagje mortel waren gedrukt. Dat had vast enkele duizenden oude wijnflessen gekost. De muur was een meter breed, dus je kon er niet overheen zonder je handen, armen of benen open te halen. De eerste hindernis van Heavy Archie.

Matt keek omlaag naar Kirsten. Hij zag haar knikken. Had ze dit geweten? Of had ze toevallig juist gegokt? Matt gooide de zakken één voor een over de muur heen, totdat ze een dikke laag over het glas vormden. Toen hees hij zich verder omhoog. De scherven onder de jute zakken waren nog steeds hinderlijk, maar ongevaarlijk.

Hurkend bovenop de muur spiedde Matt de tuin af. Alles was rustig. Dat betekende niet dat Archie niet thuis was. Het betekende zelfs niet dat hij binnen was. Misschien zat hij wel onder een van de honderden struiken en had hij op ditzelfde ogenblik een jachtgeweer op Matt gericht. Matt schudde de gedachte uit zijn hoofd. Hoe moest hij naar beneden? Makkelijk, eigenlijk. Een robuuste eik stak uitnodigend een tak uit. Met een halve spreidstand wist hij zijn voet op de tak te balanceren. Nu naar de stam en de begane grond.

'En?' riep Skip van beneden.'

'Ik ben bijna beneden. Komen jullie?'

'Eh … zo meteen.'

Dat klonk nog steeds niet geestdriftig, vond Matt. Skip wilde eerst weten of Matt door een of ander monster zou worden opgepeuzeld. Of wilde hij van de gelegenheid gebruikmaken om Kirsten op te vrijen? Matt grijnsde. Dan liever dat monster. Met een sprong overbrugde Matt de laatste meter naar beneden. Oké. Laat de monsters maar komen. Hoe sneller hoe liever.

Matt baande zich een weg door de struiken en liep tot onder de volgende boom. Vandaar was het nog vijftig meter tot aan het kasteel. Hij keek uit op een vleugel met bestofte, soms gebroken ramen. Niet echt knus in de winter, dacht Matt, een seconde voor hij de valstrik zag.

Het was een metalen klem, zo groot dat je er een paard in kon vastzetten, en zo opvallend geplaatst dat alleen een blinde erin zou lopen. Te laat begreep Matt dat de klem daar niet toevallig zo open en bloot stond. Hij zette zijn voet opzij, zodat hij niet in de klem zou lopen en besefte meteen zijn fout. De klem was bedoeld als wegwijzer. De echte valstrik lag ernaast en was onzichtbaar. Het was een strop die zich muurvast om Matts been sjorde en hem razendsnel omhoogtrok, de boom in. Binnen een seconde bengelde hij als een rookworst ondersteboven aan een dikke tak. Matt gilde en deed er toen het zwijgen toe. Rustig blijven. Comfortabel was anders, maar hij leefde nog. Hij keek om zich heen. De wereld vanuit vleermuisperspectief was verwarrend. Hij luisterde. Niets, behalve het fluiten van vogels. Skip was aan de andere kant van de muur vast van zijn stokje gegaan.

'Matt?' kwam het zwakjes.

Antwoorden of in de waan laten? Wacht. Hij had toch een zakmes bij zich? Kon hij zich daarmee lossnijden? Het was geen tweederangs touw dat hem bij de lurven had, maar er was geen andere oplossing.

'Matt?' De roep klonk nu krachtiger.

'Ik leef nog!' riep Matt terug. Hij tastte naar zijn zakmes en knipte het open toen hij het gevonden had. Mooi. Daar hing hij dan. Twee hoog en hulpeloos aan één been ondersteboven in een boom. Probeer met dat mes nu maar eens een touw door te snijden! Met geen mogelijkheid kwam hij bij het touw. En ik dacht dat ik in vorm was, gromde Matt bij zichzelf. Terwijl hij het touw probeerde te grijpen, bengelde hij heen en weer als een herfstblad in de wind. Uiteindelijk slaagde hij erin zijn voet beet te pakken. Hij klemde als een volleerde Tarzan het mes tussen de tanden en trok zich met zijn andere hand verder omhoog, tot hij het touw in één hand klemde. Een ogenblik later was hij aan het snijden. Af en toe kwam er een schreeuwende vraag van achter de muur, maar Matt vertikte het om te antwoorden. Trouwens, het werkje waarmee hij zoet was, vergde te veel van zijn krachten om te praten.

De laatste vezels begaven het na enkele minuten. Hijgend en badend in het zweet voelde Matt hoe de zwaartekracht weer vat op hem kreeg. Onder een onheilspellend kraken van botten kwam hij op de grond terecht. Gauw controleerde hij of alles nog naar behoren functioneerde. Hij stelde toen vast dat zijn been languit in de klem lag, die hij daarstraks had willen ontwijken. De klem werkte niet eens. Grommend van frustratie hees Matt zich omhoog.

Terwijl hij dat deed, keek hij recht in de starende ogen van een Bengaalse tijger. Matt schrok zo erg dat hij weer achterover viel. De tijger gromde goedkeurend en kwam gezapig dichterbij. Dit was dus het monster waarover iedereen het had. Die poezenkop had dan wel een fantastische aaibaarheidsfactor, maar één klap van die klauwen en je belandde vast en zeker op het kerkhof. Matts verstand vertelde hem dat hij het best weer omhoog kon springen en zo hard mogelijk wegrennen. Al wist hij ook dat een tijger hem in een wip kon inhalen. Hij was zo verstijfd van angst dat hij bleef zitten waar hij zat. Het dier stopte pas toen zijn kop een meetlat ver van Matts gezicht verwijderd was. Tijgers had hij al wel eens gezien in de dierentuin en lang geleden in een circus, maar van vlakbij was zo'n beest kolossaal. Deze zag eruit alsof hij Matt in één slok opkon. Precies wat het monster van plan was, zo leek het, want het opende zijn ontzaglijke muil vol venijnige gele tanden. Matt probeerde te schreeuwen. Zijn kreet bleef echter halverwege zijn keel steken, want in plaats van een dodelijke beet kreeg hij een ferme lik van een dikke, natte tijgertong.

Jakkes! Vies! Het kwijl liep van zijn wang af. Dit was geen schoothondje dat een vriendelijk likje kwam geven, dit was een professional. In één haal maakte hij Matts hele gezicht nat. En hij ging gezapig door, ondertussen gezellig spinnend. Matts schrik begon net plaats te maken voor boosheid, toen hij op de achtergrond een schril gegiechel hoorde.

Toen zei er iemand: 'Af, Esso!'

De tijger gromde even als protest, maar liet Matt dan met rust en ging naast hem liggen. Hij begon toen maar zijn voorpoot te likken. Terwijl de giechelaar doorging met zijn gehik, gebruikte Matt zijn T-shirt om zijn gezicht van tijgerspeeksel te ontdoen. Toen keek hij op. Voor hem, op de plaats van de valstrik, stond een klein mager mannetje met een gebogen rug. Hij droeg een grijze stofjas en torste een grijze krullende baard. Hij schokte nog na van het lachen.

'Heeft Esso je laten schrikken?' vroeg het mannetje met krassende stem.

Matt keek opzij naar de grote kat, die terugkeek, alsof ze wist dat er over haar werd gesproken. Het beest was zo mak als een lam. Het leek wel of het naar Matt glimlachte. Instinctief aaide hij over de enorme kop. Esso spinde tevreden en wrong zijn kop opzij, zoals een huiskat die achter haar oor gekrabd wil worden. Toen Matt Esso zijn zin gaf, knorde hij nog luider.

'Wie bent u?' vroeg Matt aan het mannetje.

Het mannetje hield op met giechelen en rechtte plots zijn rug. Hij probeerde statig te kijken toen hij zei: 'Mijn naam is Archibald van Kempier.' Hij schraapte zijn keel. 'Lokaal beter bekend als Heavy Archie.'

Nu was het Matts beurt om te lachen, maar hij beet op zijn tong. Heavy Archie? Dit ventje? Waar sloeg dat 'heavy' dan op? Dit heerschap woog waarschijnlijk niet eens zestig kilo! En waar kwam de naam Archie vandaan? Matt stond op en zei: 'Ik ben Matt Pinter.'

'Ik weet wie je bent,' zei Archibald, terwijl hij fijntjes glimlachte. 'Ik weet ook *waarom* je hier bent. Kom maar mee.'

Hij keerde zich om en liep in de richting van het kasteel. 'Kom, Esso!'

De tijger stond op en volgde slaafs zijn meester.

Voorbij de muur van het kasteel, in een gemakkelijk beklimbare lindeboom, lag een man die zich met moeite in evenwicht hield op een pezige tak. Hij hield een loodzware verrekijker voor zijn ogen en probeerde de gebeurtenissen in de tuin te volgen. Hij was even erg geschrokken als Matt toen de tijger zijn opwachting had gemaakt. Maar hij werd pas echt boos toen even later Archibald ten tonele was verschenen. Herbert Kuyken knarsetandde toen hij zijn oude vijand in het kasteel zag verdwijnen met de zoon van Bruno Pinter. Hij zou zijn ziel aan de duivel verkopen om zich nu ook binnen die muren te bevinden. Hij wist best dat dáár de schatten van Kempier bewaard werden. Hij had ze gezien, vroeger, voordat hij met Archibald overhoop had gelegen. Maar Archibald had zich nu definitief uit het historische genootschap teruggetrokken en liet niemand meer binnen. Zelfs Bruno Pinter niet. Uit schrik dat Herbert Kuyken zou profiteren van zijn vondsten. Herbert probeerde het viertal reikhalzend te volgen terwijl ze naar binnen gingen. Als Archibald deze kinderen binnenliet, dan had dat iets te betekenen.

Er stond iets te gebeuren. Herbert twijfelde er niet aan dat er een verband was. De dood van Bruno. De afsluiting van het Dodenbos. De verdwenen zapper. En de plotselinge goedhartigheid die Archibald aan de dag legde voor de zoon van Bruno. Ondanks zijn frustratie gromde Herbert tevreden. In een opwelling had hij besloten Matt te schaduwen. Dat moest hij blijven doen.

Het kasteel was een museum. Een archeologische schatkist.

Eerst had Matt Archibald duidelijk gemaakt dat zijn vrienden achter de muur wachtten. 'Dacht ik al,' had het mannetje gezegd. Bij het zien van Esso was Skip bijna een meter hoog in de lucht gesprongen. De hele weg naar het kasteel keek hij nerveus achterom, waarop Esso vrolijk spinde. Kirsten bleef er vrij nuchter onder. Niet dat ze van tijgers hield, maar als het beest zo gezapig tussen Heavy Archie en Matt stond te kijken, dan kon het niet echt gevaarlijk zijn.

Over een smal, valstrikloos pad kwamen ze bij de ingang van het kasteel. De tijger bleef buiten. Binnen begreep Matt meteen waarom. Het dier kon daar alleen maar potten breken. Alle gangen en kamers die hij te zien kreeg, stonden bomvol. Harnassen, lansen en zwaarden, dat kon je nog verwachten in een kasteel. Schilderijen ook, al hingen de muren hier zo vol dat behang overbodig was. Een heleboel werken kwamen Matt vaag bekend voor. Voorts lagen alle kasten vol met middeleeuwse foltertuigen, oude helmen, aarden vazen en kommen en scherven, voorhistorische pijlpunten en werktuigen, dodenmaskers, papyrusrollen en een heleboel dingen die Matt niet kon thuisbrengen. Bij de ingang van de kamer die Archibald binnenging, stond een kanjer van een sarcofaag. Matt duwde er voorzichtig tegen. De Egyptische doodskist was loodzwaar en bewoog niet. 'Is dit echt?' vroeg hij.

Archibald stootte een deur open en liep een vertrek binnen dat op een bibliotheek leek. 'Alles is hier echt,' zei hij.

'Onzin,' zei Kirsten, terwijl ze de kamer in liep. Tegenover de deur hing de Mona Lisa mysterieus naar hen te glimlachen. 'Het origineel dáárvan hangt in Parijs. In het Louvre.'

Archibald giechelde weer even en zei: 'Het origineel is in 1911 uit het Louvre gestolen.'

'En twee jaar later teruggevonden,' vulde Kirsten aan.

'Dat denken ze toch.' Archibald zette zijn kin op zijn vuist en tikte met zijn wijsvinger op zijn lip. 'Nu. Eens even kijken, waar heb ik het? Ah, daar!' Eén muur van het vertrek was van vloer tot plafond gevuld met oude boeken. Op een houten scheiding hing in een brede lijst een portret van een triest kijkende kerkvader. Er stak een papier in de lijst met in vette drukletters de vraag: SEVINGE? Verder stond er alleen een ronde tafel en enkele stoelen. Archibald liep doelbewust naar een hoek van de kamer en haalde een groot, zwaar boekwerk te voorschijn, gebonden en met een glimmende leren kaft.

Matt keek naar Kirsten, die veelbetekenend met haar vinger tegen haar slaap trommelde en dan met haar hoofd naar Archibald gebaarde. 'Waarom noemen ze je eigenlijk Heavy Archie?'

Archibald keek schalks opzij. 'Dat moet je maar eens vragen aan al mijn oude vriendinnen. Zij noemden me zo. Ik was een ruig figuur voor mijn wilde haren uitvielen. Snelle motoren, leren jacks, knappe meiden, je kent dat wel. Ach ja, dat waren de jaren zestig.' Hij zuchtte, alsof hij terugverlangde naar een verloren tijd.

'Maar eh,' begon Matt, 'waarom heb je al die valstrikken geplaatst en waarom loopt er een levensgevaarlijke tijger rond in de tuin?'

Archibald moest giechelen. Hij legde het zware boek voorzichtig neer op de tafel en sloeg het open. 'Levensgevaarlijk? Dat geloof je toch zelf niet? Esso is zo gevaarlijk als de hamster van de buren. Wij mogen dan wel weten dat hij een tijger is, zelf denkt hij dat hij een wat opgeschoten huiskat is. Trouwens, hij heeft geen klauwen. Zijn nagels zijn uitgetrokken vlak na zijn geboorte. Zo heb ik hem gevonden bij iemand die dacht dat hij op een flat een tijger als huisdier kon houden. Verwaarloosd en mishandeld. Ik heb hem hierheen gehaald en hij is mijn beste kameraad. Hij doet geen vlieg kwaad. Maar als ongewenste bezoeker schrik je wel even, hè?' Hij zuchtte. 'Die valstrikken zijn noodzakelijk. Ze hebben me hier genoeg lastig gevallen. Maar sinds er hier al enkelen ondersteboven aan een boom hebben gehangen, is het aantal onaangename bezoekers al aardig verminderd.'

Archibald beschouwde het onderwerp als gesloten en hij begon de pagina's van het boek om te slaan. Ze waren broos en hij bladerde dan ook voorzichtig. 'Dit zijn geschriften uit de zestiende eeuw,' zei hij. 'Ik weet dat iedereen denkt dat ze niet meer bestaan, maar ze hebben dit kasteel in al die tijd nooit verlaten. Ik heb ze lang geleden zelf gevonden op de zolders. Daar ligt trouwens nog een boel materiaal dat ik moet onderzoeken. Ah, hier heb ik het!'

Matt schuifelde dichterbij en volgde Archibalds vinger naar een tekening die een hele bladzijde in beslag nam. Het was de tekening van een kruis. Hetzelfde kruis dat hij deze middag al twee keer had gezien.

'Die tekening hadden die kerels in het bos op hun slaap getatoeëerd!' riep Skip uit.

'Die lui van Necroid?' vroeg Kirsten ongelovig.

'Het staat ook op de kerktoren van Kempier,' vulde Matt aan. 'We hebben het al duizend keer gezien, maar we letten er niet op.'

Archibald zei: 'Dat is het teken van de Ziener.'

'De Ziener?'

Archibald zakte zachtjes neer op een stoel. Hij keek Matt aan. 'Jouw vader is op mysterieuze wijze gestorven nadat hij de oude kerk van Kempier had blootgelegd in het Dodenbos. Correct?'

Matt knikte.

'En sindsdien wordt het Dodenbos zwaar bewaakt door de eigenaar, Necroid. Correct?'

'Dat denk ik wel.'

Archibald knikte ernstig. Hij zakte wat onderuit en stak zijn handen in de zakken van zijn stofjas voor hij van wal stak. 'In het jaar 1508 werd het dorp Teverlo verwoest door een vuurstorm. De brand stak zo plots op dat sommige overlevenden spraken van de wrekende adem van God, die het dorp in de as legde. De oorzaak van de brand werd nooit bekend. Teverlo werd niet heropgebouwd. Wellicht lag het vijf kilometer ten noorden van het oude Kempier. Enkele weken na de vuurstorm verscheen in Kempier een vreemdeling. Een uitzonderlijk grote man. Lange baard en haar als leeuwenmanen. Hij was ook doodsbleek van huid en bleek moeiteloos bestand tegen de uitzonderlijke kou van die winter. Zo staat het in dat boek. Hij had al enkele volgelingen bij zich, die er ongeveer uitzagen zoals hij zelf. Hij was een geweldenaar, maar toch wist hij de dorpelingen heel snel aan zijn kant te krijgen. Binnen enkele weken was het dorp in twee kampen verdeeld. Eén groep schaarde zich achter de Ziener, de ande-

re achter de pastoor. De komst van de Ziener bracht niets dan
onheil. Moorden en roofpartijen bij de vleet in het dorp. Uiteindelijk besloot pastoor Sevinge naar het vernielde dorp Teverlo
te trekken. Sevinge wist dat de Ziener uit de richting van Teverlo
was gekomen. Hij dacht dat Teverlo ook door toedoen van de
Ziener ten onder was gegaan en dus hoopte hij dat dáár een
oplossing te vinden was.'

Archibald leek even na te denken. Hij stond op en liep weer
naar het boek. 'Toen Sevinge terugkwam, was Kempier bijna verwoest. Vechtpartijen waren aan de orde van de dag. De helft van
de inwoners was al omgekomen. Wat er toen precies gebeurd
is, staat zelfs niet in dit boek. Het verhaalt alleen dat Sevinge de
Ziener verslagen heeft met de hulp van God en een engel, die
de naam Agamon droeg. Er staat ook dat pastoor Sevinge zijn
geheim mee in zijn graf heeft genomen. Helaas weet niemand
waar dat graf zich bevindt. Ik zoek het al jaren en ik denk nu
dat ik weet waar het zich bevindt. Alle pastoors die na Sevinge
gekomen zijn, liggen op het kerkhof rondom de nieuwe kerk.
Sevinge zelf niet. Maar dat is voor later.'

Archibald haalde zijn handen uit zijn zakken en stak belerend
een wijsvinger op. 'Vorige maand heb ik een kopie in handen
gekregen van een manuscript uit de bibliotheek van het Vaticaan.
Het heeft me jaren gekost om het te pakken te krijgen, maar er
staan interessante dingen in over de nieuwe kerk van Kempier.
Dingen die niet stroken met wat wij zien. Ik denk dat ik Sevinge
op het spoor ben.'

'Het is dus niet zomaar een legende?' vroeg Kirsten, met
een korreltje ongeloof in haar stem.

'Absoluut niet! De Ziener en zijn volgelingen werden begraven in wat nu bekend staat als het Dodenbos. Er zijn al opgravingen naar hen gebeurd, twintig jaar geleden. Door mijzelf en iemand die toen mijn vriend was. Herbert Kuyken heet hij. Zonder resultaat. Maar het bos is groot. Hoe dan ook, de overlevenden van de ramp trokken naar het nieuwe Kempier en bouwden daar een nieuwe kerk, met daaromheen een nieuw dorp.'

'Dat weet ik al,' zei Matt. 'Dat heeft mijn vader geschreven.' De naam van Herbert dook naar zijn zin te veel op.

Archibald knikte ernstig. 'Ik geloof dat jouw vader op een doorbraak stootte. Hij stond op het punt te ontdekken wat er écht gebeurd is, vijfhonderd jaar geleden.' Archibald begon driftig in het boek te bladeren, alsof hij op zoek was naar iets. 'En jouw vader, Kirsten, heeft het, geloof ik, al ontdekt.'

'Papa?' hoonde Kirsten. 'Zeker niet! Dan had hij het allang aan mij verteld!'

'Misschien moet je wel blij zijn dat hij dat niet gedaan heeft.'

Kirsten wilde gaan protesteren, maar Archibald had gevonden wat hij zocht. 'Kijk eens even hier!'

In het midden van het boek zat een uitsparing. Van tientallen bladzijden was een groot stuk in het midden weggesneden. Daarin rustte een diamantvormig amulet met een gouden ketting. De amulet was niet groter dan een luciferdoosje en bijna even dik. Matt bedacht dat het misschien gemaakt was van geslepen glas. 'Wat is dat?'

Archibald peuterde de amulet uit zijn eeuwenoude thuis en legde het in zijn handpalm. 'Dit is het enige dat pastoor Sevinge ons heeft nagelaten. Het is een amulet dat hij in Teverlo heeft bemachtigd. In het boek is sprake van twee amuletten, maar er zit er maar één in het boek verborgen. Het andere werd door iemand anders gebruikt. De persoon die hij Agamon noemt. Het bevindt zich ofwel in Sevinges graf of het is geplunderd in de afgelopen eeuwen. Hoe dan ook, volgens dit boek had de Ziener een onweerstaanbare invloed op iedereen in zijn buurt. Door het dragen van deze amulet wist Sevinge zich van die invloed te vrijwaren. Wellicht is dit zijn redding geweest. Als jullie dus van plan zijn om naar het Dodenbos terug te keren, zul je dit nodig hebben.'

'Fabeltjes!' riep Kirsten uit. 'Je neemt een vijf eeuwen oude legende toch niet zomaar voor waar aan!'

Archibald keek naar Matt. 'De feiten zijn er. De verwoesting van Teverlo, de volksopstand onder leiding van een onbekende, de vernietiging van de kerk van Kempier, de aanleg van het Dodenbos, al die dingen zijn historisch opgetekend en bevestigd. Ik geloof ook niet dat de naam van het nieuwe bouwproject dat ze daar hebben opgezet, het Lazarusplan, toevallig gekozen is. In het nieuwe testament wordt Lazarus uit de dood gewekt. Hij verrijst. En daarom, Matt, Skip, lieve Kirsten, als Matts verhaal over zijn vader klopt, dan geloof ik dat de Ziener van Kempier is teruggekeerd uit zijn graf!'

'Ik geloof er geen bal van!' zei Kirsten. Ze maakte zich niet
eens boos. Ze vond het gewoon een belachelijk verhaal. 'Het is
een verhaal voor in een derderangs weekblad bij de kapper.'
   'Wat staat er nog meer in het boek?' wilde Matt weten.
   'Niets,' zei Archibald. 'Tenminste, niets dat betrekking heeft
op de Ziener en de ondergang van het oude Kempier en dat
we al niet weten. Maar ik heb nog wel iets anders.' Uit de zak
van zijn stofjas viste hij een broos velletje perkament, dat hij
geplastificeerd had om te voorkomen dat het uit elkaar viel.
Het was kleiner dan een A5. Het was vergeeld en er was iets
met bruine inkt op geschreven. Er zaten zoveel vlekken op, dat
de letters vrijwel onleesbaar waren. 'Dit zat tussen het boek.
Het is ondertekend door pastoor Sevinge. In de zestiende eeuw
konden heel weinig mensen schrijven, maar geestelijken natuurlijk wel. Ik heb al geprobeerd het te ontcijferen, maar het lukt
niet goed. Ik geloof dat het uit een soort dagboek van de goede
pastoor komt. De passage op deze pagina heeft betrekking op
Teverlo. Misschien vind ik hier nog een aanwijzing.'
   'Onzin,' zei Kirsten opnieuw, 'straks beweer je nog dat ko-
ning Arthur en de ridders van de ronde tafel er iets mee te
maken hebben! Misschien heeft Sevinge de Ziener wel bedwongen met de Heilige Graal! Ik heb er genoeg van.'
   'Jij was niet in het Dodenbos!' verweet Skip haar. 'Jij hebt die
gorilla's niet gezien.'
   'De wereld stikt van de rare vogels! Sla de krant er maar
eens op na. Dat betekent nog niet dat het vertegenwoordigers

zijn van mystieke figuren uit de Middeleeuwen. Het zijn gewoon loslopende gekken. Die Middeleeuwen kloppen technisch gezien trouwens niet. Die waren vijfhonderd jaar geleden net afgelopen.'

Archibald glimlachte toegeeflijk.

'Dus je gaat niet mee?' vroeg Skip.

'Ik denk dat jullie een stel goedgelovige meelopers zijn. Dat moet wel, om er een met de haren bij gesleepte fabel als deze te geloven.'

'Met andere woorden,' zei Matt, 'ze denkt er niet aan.' Haar niet aflatende stroom van beledigingen hing hem de keel uit. Hij vond haar een kreng.

'Je durft niet!' daagde Skip haar uit.

Dat vond Kirsten zo doorzichtig dat ze er niet eens om glimlachte. 'Héél overtuigend, Skippy. Ik besteed mijn tijd er niet aan. Maar om van jullie gezeur af te zijn, zal ik een geste doen. Ik wed dat ik jullie langs die rare kwieten krijg. Tot in het hart van het Dodenbos. Dan kunnen jullie precies zien wat er aan de hand is. Dan moeten jullie me wel geloven.'

'Of jij mij,' zei Archibald met een minzame glimlach.

Kirsten wuifde zijn reactie weg, maar ze leek onzeker. Ze wist best dat er iets niet klopte aan het hele project. Misschien was de legende onzin, maar dat er iets aan de hand was in het Dodenbos, daar twijfelde zelfs Kirsten niet meer aan. Dat kon Matt op haar gezicht zien. Daarom besloot hij de handschoen meteen op te nemen. 'Goed. Hoe wou je dat dan doen?'

'Ik verzin wel wat.'

Archibald klapte zachtjes in zijn handen en begon weer hikkend te giechelen. 'Goed zo, een compromis! Jullie gaan het

Dodenbos in en daarna kom jullie maar weer bij mij verslag uitbrengen.' Hij wuifde met het vodje eeuwenoud papier. 'Intussen probeer ik dit hier verder te ontcijferen.' Hij liet de amulet voor Matts ogen bengelen. 'Neem dit maar mee. Het ziet eruit als iets wat je op de kermis kunt winnen op een schiettent, maar je weet maar nooit. Het is tenslotte vijfhonderd jaar oud. In die tijd konden ze dat soort dingen helemaal nog niet maken.'

Matt bekeek het nepjuweel en kreeg een schok. Dat klopte, natuurlijk. Maar het ding bestond. Hoe kon dat? Of was het één groot bedrog en was dit ding helemaal geen vijf eeuwen oud? Hij haalde zijn schouders op en liet de amulet in zijn zak glijden.

Archibald besloot: 'O ja, enne ... Als je absoluut binnen wilt komen: er zit een bel aan de poort. Je hoeft echt de muur niet over.'

Matt trok een zuur gezicht.

Tot zijn verbazing sliep Matt die nacht als een roos. Geen wonder, want de laatste tien dagen had hij geen enkele nacht goed geslapen. Zijn lichaam trok nu aan de alarmbel en liet hem tien uur aan één stuk doorslapen, tot oma hem kwam wekken met een klop op de deur en de geur van ontbijtspek.

Hij schrokte het ontbijt naar binnen en sprong zijn fiets op. Afspraak om tien uur voor het Dodenbos. Terwijl hij erheen fietste, dacht hij na over Kirsten. Ze was bits, hooghartig en ijskoud. Maar, dacht Matt, hoe zou ik me gedragen als paps door iedereen in mijn buurt werd beschuldigd van moord en samenwerking met een middeleeuwse zombie?

Hij was te laat. Skip stond verveeld geleund over het bord

dat hem de toegang tot het bos verbood en kauwde op een strohalm. 'Je bent laat.'

'Sorry. Ik lig niet de hele dag te maffen zoals jij. Dus blijf ik 's ochtends wel eens langer liggen.'

'Laat de fietsen hier maar achter. We gaan te voet het bos in.'

Toen ze eenmaal onder de bomen waren, werd het dreigend stil om hen heen. Het viel Matt op dat er eerst nog vogels floten, maar nog voor ze honderd meter verder waren, hoorden ze bijna niets meer. Net zoals de dag ervoor, werden ze ook bevangen door de kou. Matt vroeg zich af of het wel een goed idee was geweest om naar het bos te komen. Hij had het knagende gevoel van naderend onheil. Maar konden ze nu al teruggaan? Hij gluurde naar Skips blote armen en zag dat hij kippenvel had. Van de kou of van de zenuwen? Hoe verder ze gingen, hoe stiller en hoe frisser het werd. Er zong geen vogel, er ritselde geen eekhoorn in de bladeren, er zoemde geen enkel insect. Het blauw van de hemel boven hen verstilde: het werd langzaam grijs en daarna steeds donkerder.

Precies zoals de dag ervoor verschenen plots de bewakers van het Dodenbos. Als een televisie die zomaar van kanaal veranderde. Eerst waren ze er niet, dan wel. Het leken wel wandelende lijken, zo bleek zagen ze. De middelste van de drie wees op Matt en dan op Skip. 'Ik dacht,' zei hij, 'dat we jullie hadden gezegd op te krassen!'

'Dat was gisteren,' zei Skip, die deze keer zijn gsm in zijn zak had gestopt. 'Toen zijn we ook opgekrast. Dit is een andere dag en daar zijn we weer!'

Matt haalde een badge te voorschijn. Hij dacht met tegenzin terug aan zijn bezoek aan Kirstens huis gisteravond. De elektronisch beveiligde poort, de waakhonden, de alarmsystemen die de luxe en de kunstschatten moesten beveiligen. Haar huis was de moderne versie van Archibalds systeem. Koud en zielloos.

Kirsten had hem meegetroond naar het bureau van haar afwezige vader. Daar had ze de badge gejat. Ze wist dat hij dit soort badges gebruikte om toegang te krijgen tot sommige werkplaatsen. Deze was gloednieuw en bedoeld voor het nieuwe project van Necroid in het Dodenbos.

Nu stak Matt de badge uit naar de gorilla's. 'Ben jij hersendood? Wij werken voor Necroid. Marcel Munte heeft ons persoonlijk in dienst genomen. Hij heeft ons allebei nodig. Jullie weten vast waarom?'

Het was een belachelijk verhaal, wist Matt. Als deze drie mannen enigszins verstand hadden, dan schoten ze nu in de lach en stuurden ze hen zonder pardon het terrein af. Maar dat deden ze niet. De bleke gorilla bekeek de badge, maar wilde ze niet aanraken. 'Ja,' zei hij, 'dat weet ik zeker. Volg mij.'

De gorilla's draaiden zich om en wandelden voor Matt en Skip uit, verder het Dodenbos in. Skip wierp een vragende blik naar Matt, maar die trok een 'zie-je-wel'-gezicht. Alsof hij dit verwacht had. Onzin, natuurlijk. Die badge en de rest, dat was pure bluf en hij twijfelde eraan of de bewakers er wel echt waren in getrapt. Waarom kreeg hij het enge gevoel dat ze als lammetjes naar de slachtbank werden geleid?

Hoe dieper ze het bos in liepen, hoe meer het leek alsof ze een donkere tunnel in wandelden. Een onwerkelijke duisternis kapselde hen langzaam in. Binnen enkele minuten veranderde de onzekere schemering in een inktzwarte duisternis.

Had ik maar een trui aangetrokken, dacht Matt, want de temperatuur was over een afstand van enkele honderden meters minstens tien graden gezakt. De stilte was compleet, tot ze even later zacht verstoord werd door ritmisch tikken, regelmatig sissen en dreigend stampen. Tegelijk begon in de duisternis voor hen uit een macaber rood licht te schijnen.

'Jongens, dit is toch niet echt?' vroeg Skip. Hij was de eerste die iets durfde te zeggen. De schrik sidderde door zijn stem.

Matt keek omhoog, maar er was niets te zien van het bladerdak en de blauwe hemel die je daar verwachtte. De lucht was inktzwart.

'Ik wou dat Kirsten dit kon zien,' zei Matt. 'Ze beseft écht niet wat hier aan de hand is! Het kan me niet schelen wat zij denkt, maar dit is onaards.'

Eenzelfde kou als in de nacht waarin zijn vader was vermoord, omhulde hen. Intussen werd het licht in de verte sterker. Immense lichtbatterijen stonden hoog opgesteld, alsof er op een voetbalveld een avondmatch moest gespeeld worden. Maar in plaats van gejuich van supporters klonk er alleen het dreunende lawaai van duizenden machines. En het licht zelf was niet fel en wit, maar zacht en rood, zodat er een avondrode schemering over het bos hing.

Twintig minuten nadat ze in het Dodenbos waren aangekomen, stonden ze plots in het midden van de grootste en meest onnatuurlijke bouwwerf die ze ooit gezien hadden. Matts hart klopte in zijn keel. Zijn vader had de spijker op de kop geslagen: er wás iets in het bos. En het had geen goede bedoelingen.

Eerst was er de put, verlicht door hoge torens van zacht, roodachtig licht, die met moeite de duisternis doorpriemden. Pal in het midden van het Dodenbos waren tientallen bomen geruimd en een eind verderop als lucifertjes op een hoop gegooid. Als je omhoog keek, zag je niet het blauwe zwerk dat je op deze zomerse dag zou verwachten, maar een sterrenloze nachthemel. Waar de bomen hadden gestaan, zat nu een put van wel tien meter diep. Dat was nog niet de definitieve diepte blijkbaar, want een graafmachine haalde nog steeds aarde op. De put was perfect rechthoekig. Matt schatte de lange zijden op vijftig meter, de korte op twintig. Langs de rechte wanden van de put zag hij een honingraatstructuur. Die begon pas twee meter boven de bodem van de kuil. Het leek wel alsof er overal cellen waren aangebracht in de grond, waarin iets verborgen had gezeten. Ze waren allemaal donker, met uitzondering van één, die zachtjes opgloeide. Sommige cellen waren al uit de muur gehaald en Matt merkte een vrachtwagen op, die met drie van die cellen was volgeladen. Klaar om afgevoerd en vernietigd te worden? Of waren ze er iets anders mee van plan?

Matt keek om zich heen en stelde verbaasd vast dat de gorilla's waren verdwenen. In de put waren nog enkele mensen te zien. Achter de put was een soort van atelier ingericht, waar felle spots een dozijn arbeiders verlichtten. Ze werkten met glinsterende platen en af en toe waren er vurige flitsen te zien, die gepaard gingen met fel geknetter. Rook en stoom steeg op rondom de arbeiders. Naast het atelier stond een groteske machine, die de omvang had van een huis en die eruitzag alsof ze in elkaar was geknutseld door een geflipte kunstenaar. Er zaten allerlei zuigers en stampers aan, die woest heen en weer bewogen, maar Matt kon niet bedenken waarvoor de machine diende. Rondom de machine liepen mensen schijnbaar doelloos heen en weer, terwijl ze af en toe kabels, metalen staven en platen aan elkaar doorgaven. Soms spatten de vonken van die voorwerpen af, alsof ze gelast werden. Een man aan de verste hoek van de machine leek een grote plaat te onderzoeken, waar een soort steel aan vastzat. Het leek een beetje op een brede step zonder wielen, bedacht Matt even. Al zag het 'stuur' er heel anders uit. Hoe dicht hij bij de waarheid zat, besefte Matt een ogenblik later, toen de man het ding plots neerzette. Het bleef echter enkele centimeters boven de grond zweven. De man sprong er bovenop, maar het ding zakte nog steeds niet. Met beide handen op het stuur gleed hij langzaam als een minihovercraft vooruit. Hij maakte een toertje achter de machine door. Het leek alsof hij het ding eenvoudig bestuurde door met het stuur bewegingen te maken in de gewenste richting. Was dat de nieuwe versie van de bezem? Hekserij was het, zoveel was zeker.

Matt wilde Skips aandacht trekken, maar het lawaai links van hem leidde hem af. Er was nog veel meer aan de hand. Links van de put stonden enkele paviljoenen, genoeg voor tientallen mensen, en een groot, donker gebouw, wellicht een opslagplaats. Daarnaast waren enkele vrachtwagens bezig met het overpompen van beton in de fundamenten van weer een nieuw gebouw. Een eenzame man liep tussen de vrachtwagens door en schreeuwde af en toe iets naar onbekenden. Net toen Matt weer naar de put wilde kijken, zag hij hoe de man naar iets wees. Een ijzeren balk verhief zich van de grond, draaide rond in de lucht en kwam een eind verderop zachtjes neer. Matt knipperde met zijn ogen. Had hij dat goed gezien? Niets of niemand had die balk aangeraakt!

Wie deze mensen waren, wist Matt niet, maar hier waren heel rare dingen aan de hand. Voor hij iets tegen Skip kon zeggen, stond het volgende wonder al op het punt te gebeuren. In de put renden enkele mensen in de richting van de laatste lichtende cel in de wand. De cel gloeide nu felrood en ging stilletjes open, terwijl een witte nevel sissend ontsnapte. De mensen rondom de cel wachtten even af tot de nevel was verdwenen. In de rode gloed van de cel zag Matt nu het lichaam van een mens liggen. Een van de omstanders kwam tot bij de cel, stak zijn handen uit en haalde het lichaam eruit. Hij raakte het niet aan. Toch leken zijn handen van een afstand aan het lichaam te trekken. Het zweefde omhoog uit de cel en, achtervolgd door de restanten van de witte nevel, kwam het in een sierlijke boog uit de put. In het eerste paviljoen naast de put leek het alsof de wand openscheurde. Het lichaam, nog steeds doodstil, gleed langzaam naar binnen.

Beneden in de put steeg gejuich op.

Enkele seconden lang bleef het ijzingwekkend stil. Toen sprak Skip. 'Als dit is wat ik denk dat het is ...' prevelde hij. Matt keek naar zijn gezicht dat lijkbleek was geworden. Geen wonder. Ik vraag me af hoe ík eruitzie, dacht Matt.

'Archibald had gelijk,' zei Matt. 'Ze zijn de doden van Kempier aan het opgraven!'

'Mis,' zei een zware, onbekende stem achter hem. 'Helemaal mis. Ze zijn helemaal niet dood.'

Geschrokken keerden ze zich om. Een enorme man torende boven hen uit. Hij was zo immens dat Matt geloofde dat hij hem met één vinger zou kunnen optillen. Zijn haren waren even lang als zijn baard en hoewel hij glimlachte, schitterden zijn ogen boosaardig. Hij droeg een grijze overall en net zoals de gorilla's daarstraks, was hij zo wit als een albino.

'De Ziener van Kempier!' hijgde Matt.

De Ziener grijnsde een rij gele, gekartelde tanden bloot. Daardoor leek hij een beetje op een toehappende haai. 'Die naam heb ik allang niet meer gehoord,' zei hij tevreden. Zijn stem was even donker als zijn baard.

'Al vijfhonderd jaar niet meer,' fluisterde Matt ontzet. Hij kon het nauwelijks geloven. Paps en Archibald hadden het allebei bij het rechte eind. De Ziener, vijfhonderd jaar geleden gedood, was uit zijn graf opgestaan, alsof hij een uiltje had geknapt! Hoe was dat mogelijk? Hij had al wel eens van schijndood gehoord, maar hij geloofde niet dat je vijf eeuwen schijndood kon zijn.

'Welkom!' bulderde de Ziener gemaakt vriendelijk. Matt begreep meteen dat de reus niet veel goeds in de zin had. Zijn woorden klonken zoet, maar zijn gezicht zag er onheilspellend en verraderlijk uit.

'Je meent het!' siste Skip ondanks zijn angst. Een grote bek opzetten kon in deze situatie vast geen kwaad.

'O ja,' zei de Ziener op dezelfde toon. 'Dat meen ik zeker. Elke helpende hand is welkom. Ik heb er nog veel nodig.'

'Maar vandaag niet,' besloot Skip. Hij draaide zich op zijn hak om en vroeg aan Matt: 'Kom je?' Vervolgens stapte hij langs de Ziener weg. Hij kwam precies drie stappen ver.

'Eh ... Skip?' vroeg de Ziener, zonder zich om te draaien.

Skip stond daar plots stil alsof hij bevroren was. Langzaam draaide hij zich om. 'Hoe weet je hoe ik heet?'

Niet moeilijk, dacht Matt. Deze vent werkte samen met Kirstens vader en misschien met Herbert Kuyken en samen kenden die de meeste mensen van het dorp. Zo was het toch? De woede begon langzaam de angst uit Matts hart te verdrijven. Dit stuk ongeluk had zijn vader vermoord. Natuurlijk had hij geen bewijzen, maar hij voelde dat het zo was.

'Ik weet nog veel meer,' zei de Ziener. Hij glimlachte goedhartig en zwaaide uitnodigend met zijn arm over het hele domein. 'Een kleine rondleiding door mijn rijk?' Hij lachte. 'Tja, het stelt nog niet veel voor, ik weet het, maar het groeit snel. Vergeet niet: ooit waren jullie een paar cellen en kijk nu eens. Vergelijk het Dodenbos met zo'n cel en mijn doel met jullie lichaam. Dan weet je meteen hoe ik van plan ben te groeien.' De glimlach bleef even minzaam, maar een duivels licht schitterde in de ogen van de Ziener. Matt voelde een ijspegel over zijn rug glijden. Het viel Matt op dat hij de adem van zichzelf en van Skip zag walmen in de kou, maar die van de Ziener niet. Hoe kon dat?

Matt wees met een trillende vinger naar de monsterachtige machine in de verte. 'Wat is dat?'

De Ziener volgde zijn blik en ademde diep in toen hij het doelwit zag. 'Dát? Dat is het kloppende hart van het Dodenbos, beste jongen. Het hart en de ziel van mijn bestaan. Zie je, dát kon al die eeuwen geleden nog niet. Wat een prachtige tijd is die eenentwintigste eeuw van jullie toch. Door jullie vernietigingsdrang hebben jullie zoveel prachtige technologie geproduceerd! Dankzij jullie vooruitgang kan ik al mijn dromen waarmaken! Dát daar, dat is de Nucleus. Mijn krachtbron, mijn geheugen, mijn brein en nog veel meer. Een fabriek, als je wil: daar maken ze de basisdingen zoals hoppers en krachtbronnen.' De reus gebaarde naar het duistere uitspansel. 'Zonder de Nucleus kan dit allemaal niet. De Nucleus, jongens, dat is een tijdbom. Een tijdbom met zoveel kracht, dat die heel de wereld kan onderwerpen … of wegvagen.' De glimlach was dromerig geworden, alsof de Ziener zijn mooiste fantasie voor zijn ogen had zien voorbijtrekken. Hij schudde zijn hoofd. 'Nee, misschien toch geen rondleiding. Er is nog veel werk te doen en ik kan jullie goed gebruiken.'

Matt en Skip keken elkaar argwanend aan. De Ziener lachte. 'Ja, gebruiken! Wij worden goede vrienden, jullie twee en ik. Héél goede vrienden.'

'Liever niet …' fluisterde Skip. En hij zette het op een lopen. Opnieuw kwam hij niet ver. De man die rond de Nucleus rondjes aan het draaien was op zijn vliegplaat schoot plots als een raket op hen af. Hij haalde Skip in een oogwenk in en remde vlak voor hem. Skip moest zo bruusk stoppen dat hij het evenwicht verloor en viel. Man en vliegplaat bleven enkele decimeters boven de grond hangen, de wetten van de zwaartekracht tartend.

De Ziener lachte luid en maakte een gebaar naar de breedgeschouderde piloot van de vliegplaat. 'Mooi werk! Mag ik jullie voorstellen aan Mordoran. Hij is een van mijn trouwste volgelingen. Wij kennen elkaar al een hele tijd, Mordoran en ik. Een kerel uit één stuk. Hij gaat voor niets uit de weg en kent geen angst. Je kunt hem geen groter plezier doen dan met hem op de vuist te gaan.' De Ziener knipoogde. 'Maar ik zou het je niet aanraden.'

Matt huiverde. Mordoran zag er groot en gespierd genoeg uit om een half dozijn zwaargewichtboksers tegelijk op een afstand te houden. Ook niet meteen moeders mooiste: een grijs gevlekte stoppelbaard, een grijnzende rij haaientanden, een bovenlip die door een oude wond omhooggetrokken was en enkele loshangende vellen waar ooit zijn linkeroog had gezeten. Deze jongen was duidelijk een kemphaan geweest en hij lustte er nog steeds pap van. Met een knik naar de Ziener zeilde hij weer de lucht in, terug naar de Nucleus.

De Ziener liep naar Skip, die nog steeds op de grond lag en nu bibberend overeind kwam. 'Ontsnappen is geen optie. Maar maak je geen zorgen. Het valt wel mee.' Hij stak zijn geopende hand uit naar Skips gezicht en sloot zijn ogen. Skip schreeuwde, kromp ineen en greep naar zijn hoofd. Hij zakte door de knieën en rolde over de grond, alsof hij verging van de pijn. Hij huilde. 'Ga weg!' riep hij, zonder één ogenblik zijn handen van zijn hoofd te nemen. 'Laat me met rust!' Gedurende enkele seconden leek zijn lichaam ergens tegen te vechten en toen kwam hij tot rust. Als een robot stond hij op en keek met kalme ogen naar de Ziener.

'En nu,' zei de reus, 'ben je van mij.'

Skip glimlachte. Skip was een lachebek, maar nu leek zijn glimlach onnatuurlijk, beangstigend, want hij glimlachte naar de Ziener. Wat had die met hem gedaan? De Ziener had hem duidelijk onder controle. Hoe was dat gelukt? Het begon er steeds meer op te lijken dat de Ziener krachten had die hij of Skip niet konden begrijpen. Hij had tenslotte ook paps overmeesterd zonder dat die één kik gegeven had.

De Ziener wendde zich tot Matt. 'En nu jij nog.'

Matt wilde hem zeker geen pleziertje gunnen. Toch had lopen geen zin. Je verzetten blijkbaar ook niet. Wat kon hij doen? Zijn hersenen draaiden op volle toeren, terwijl de Ziener zijn gespreide hand naar zijn gezicht uitstak. Matt vroeg zich af wat hij kon verwachten. Hoofdpijn? Als je zag wat er met Skip was gebeurd wel. Of kwam hij er met een soort druk in zijn hoofd van af? Hij wist het niet. In elk geval voelde hij na enkele seconden nog niets. De Ziener keek even verbaasd. 'Niet zo gemakkelijk, jij, hè?' zei de reus. 'Tja, ik heb niet veel krachten meer. Ik heb al zoveel mensen onder controle als ik aankan. Maar een jonge kerel als jij zou er gemakkelijk nog bij kunnen.' Hij zette zich schrap en probeerde het opnieuw.

Ik ben immuun, flitste het door Matts geest. Hij dacht aan de amulet van Archibald, die in zijn broekzak zat. Was dat het misschien? Beschermde ze hem? Want ook de tweede keer voelde hij absoluut niets. Of was deze middeleeuwse kwakzalver alleen maar een hypnotiseur en lukte dat niet bij hem? Nee, Skip had niet eens in de ogen van de Ziener gekeken toen die hem in zijn greep kreeg. Het moest iets anders zijn. Misschien telepathie. Wat het ook was, hij moest iets doen, en snel, want zodra deze man begreep dat zijn trucjes geen vat hadden op Matt, was hij verloren. Misschien kon hij weerstand bieden aan zijn mentale krachten, maar zeker niet aan zijn vuisten.

Komedie spelen, dat moest hij doen! Veinzen dat hij door de Ziener werd overmeesterd en straks het hazenpad kiezen als de kust veilig was. Matt zuchtte onmerkbaar. Hij was een *rot*-acteur, maar welke keuze had hij? Hij vertrok zijn gezicht, alsof er een hevige pijn door zijn lichaam joeg. Hij viel op zijn knieën en kreunde. Hij sloeg zijn handen voor zijn gezicht en rolde over de vochtige bosgrond, zoals hij Skip had zien doen. Hij stampte met zijn voeten en schokte over zijn hele lichaam.

Eindelijk bleef hij liggen, stil en een beetje stijf. Hij nam zijn handen voor zijn ogen weg en hoopte dat zijn gezicht sereen genoeg was om de Ziener te bedotten.

De eeuwenoude reus glimlachte tevreden. 'Prima, nieuwe volgelingen! We kunnen jullie goed gebruiken. Mijn naam is Tyranac en ik ben vanaf nu jullie meester.'

Vanuit het bos kwam een zwarte limousine geruisloos aangereden. De wagen parkeerde zich aan de rand van het terrein. Het portier klapte open. Matt voelde een schok door zich heen gaan toen hij Marcel Munte uit de wagen zag stappen. Toch verbaasde het hem niet. Door de mail van zijn vader was hij ervan overtuigd dat de Ziener en Munte banden hadden met elkaar. Maar om de man hier nu daadwerkelijk te zien opduiken, dat deed hem toch wel wat.

Munte stapte als een sergeant naar Tyranac. Hij droeg deze keer geen pet. Waarom hij die gisteren wel had gedragen, werd Matt meteen duidelijk. Het vierdelige kruis van Kempier, blijkbaar een soort brandmerk dat de volgelingen van de Ziener allemaal droegen, prijkte op zijn slaap. De pet diende om het te verbergen en daardoor vervelende vragen te vermijden.

Tyranac spreidde zijn armen. 'Ah, Munte! Mijn eerste en mijn grootste volgeling. Welk nieuws, mijn beste vriend.'

Muntes gezicht zag er even emotieloos uit als dat van een robot. Precies zoals gisteren in de cafetaria. Hij zei: 'Dat zijn de twee waar ik het gisteren over had. Ze hadden contact met mijn dochter. Wat doen ze hier?'

'Ons helpen, uiteraard. Ze waren veel te nieuwsgierig en wilden absoluut deze site bezoeken. Ze hadden daartoe zelfs een badge van Necroid bemachtigd. Hoe zijn ze daaraan gekomen, vraag ik mij af?'

Dat klonk beschuldigend, maar Munte toonde zich noch aangevallen, noch verrast. 'Dat ligt voor de hand. Ze hadden contact met Kirsten, ze zijn nu hier. Kirsten heeft hun de badge gegeven.'

'Ja. Daarom konden we hen niet laten gaan.'

'Is Kirsten hier?'

'Nee. Het is erg onvoorzichtig om zo'n badge aan haar toe te vertrouwen.'

'Dat ben ik met u eens. Ze heeft er dan ook geen.'

'Aha! Dus ...'

'Dus heeft ze die uit mijn bureau gestolen. Ze is erg verstandig. Gevaarlijk verstandig, zelfs. Blijkbaar vermoedden deze jongens iets. Als zij hen heeft geholpen, dan geldt dat ook voor haar.'

Tyranac knikte instemmend en keek naar Matt en Skip. 'Wat weet zij, jongens?'

Matt dacht koortsachtig na. Hij wist dat hij zijn mond niet kon houden. Dan zou Tyranac meteen beseffen dat zijn controletruc op hem niet had gewerkt. Tegelijk moest hij Kirsten beschermen. Hij kon geen smoes verzinnen die beide problemen kon oplossen.

Skip had van die remmingen geen last meer. Hij antwoordde gebiologeerd: 'Ze vermoedt niets. Wij hebben geprobeerd haar te overtuigen, maar ze heeft ons uitgelachen. Uiteindelijk stemde ze ermee in ons een badge te bezorgen. Gewoon om te bewijzen dat zij het bij het rechte eind had.'

'Dus,' besloot Munte, 'als jullie straks terugkeren en haar vertellen dat alles in het Dodenbos zijn gewone gang gaat, is er geen vuiltje aan de lucht.'

Tyranac knikte. 'Goed. Doen. Dat neemt niet weg, Munte, dat je dochter een potentieel gevaar is. Ze is heel intelligent. Het is een goed idee om haar binnenkort in te lijven. Vroeg of laat begint ze vervelende vragen te stellen.'

Munte knikte. 'Dat doet ze vast nu al.'

Tyranac sloot de discussie af door hen alle drie te wenken. 'Kom!'

De reus liep voor hen uit en daarom waagde Matt het een blik te werpen op Skip, die rechts van hem liep. Skip scheen zelfs niet te beseffen dat hij bestond. Hij keek met koude ogen strak uit op de rug van Tyranac en zag eruit alsof hij iemand zou kunnen vermoorden. Was de zieke geest van de Ziener in hem gevaren? Skip was geen held en geen genie, maar hij was wel een goede kerel en zo had Matt hem nog nooit gezien.

Slaafs volgden ze de reus naar het dichtstbijzijnde paviljoen. Er waren alleen ovalen ramen zichtbaar, maar toen ze bijna ter plaatse waren, verscheen er ook plotseling een deur. Er ontstond een naad in de gladde muur, die snel openscheurde tot ze er gemakkelijk doorheen konden. Matt ging als laatste. Hij keek steels achter zich en zag dat de opening zich weer naadloos sloot. Binnen was het even koud als buiten en het was er ook schemerdonker. Licht en warmte kon de Ziener duidelijk niet verdragen. Matt probeerde zijn nieuwsgierigheid in toom te houden, Hij moest tenslotte tijdelijke willoosheid onder de invloed van de Ziener veinzen. Maar hij kon ook observeren zonder omstandig rond te kijken. De hoeken en het dak van het paviljoen leken uit een soort ribben te bestaan, alsof het paviljoen niet gebouwd maar gegroeid was. Alles zag er op een vreemde manier organisch uit. De vloer was glad, maar veerkrachtig. Matt kreeg de indruk dat hij binnen in een gigantisch wezen zat. Zelfs de tafels maakten deel uit van het paviljoen zelf. De poten vloeiden uit de vloer omhoog en stulpten uit tot een rond tafelblad, met dito stoelen eromheen.

'Zit!' beval Tyranac.

Ze gingen om een van de tafeltjes zitten en Tyranac schotelde hun een mok met een blauwe, dampende vloeistof voor.

'Drink! Het zal jullie goed doen.'

Ging hij hen meteen vergiftigen? Munte verloor heel even zijn dode gezicht. Het leek wel alsof hij opleefde, zo snel en met helle ogen pakte hij de mok vast. Hij nam twee, drie fikse teugen en smakte toen hij de mok weer neerzette. Als een alcoholverslaafde die zijn eerste glas van de dag drinkt, dacht Matt met weerzin. Hij zag dat Skip Muntes voorbeeld zonder aarzelen volgde. Hij wist dat hij ook moest drinken. Maar was dat wel een goed idee? Van wat hij vandaag had gezien en van wat Archibald hem had geleerd, was één ding hem nu heel duidelijk: de Ziener verdroeg geen mensen met eigen gedachten. Matt grijnsde toen hij aan Kirsten dacht: van een sterk willetje als dat van haar zou de Ziener alvast gruwen! Hij had een grijze massa volgelingen nodig. Mensen die geen vragen stelden en die met een stalen gezicht precies deden wat hij hen opdroeg. Mensen die hem als leider blind zouden gehoorzamen en die hij kon gebruiken om zijn megalomane plannen te realiseren. Mijn kop eraf als er niet iets in dat drankje zit dat mensen willoos maakt, dacht Matt. Een drug die alle weerstand in hun hoofd steeds verder afbouwt. Hij dronk niet. Hij zette stroef de mok aan zijn lippen, sloot zijn ogen en zijn mond en deed alsof hij een flinke teug naar binnen goot. Toen zette hij de mok weer neer en veegde de blauwe vloeistof van zijn lippen.

Tyranac had gelukkig nauwelijks gekeken.

'Ik was eigenlijk nog niet klaar voor jullie,' zei de Ziener, 'maar jullie zijn jong en jullie geest is kneedbaar. Ik hou jullie zonder problemen onder controle tot we klaar zijn om tot actie over te gaan. Lang duurt het niet meer. Nog enkele dagen.' Hij grijnsde onheilspellend. 'Dan mogen jullie mijn vlag dragen. Eerst door het dorp. Daarna door dit land en ten slotte door de hele wereld. En daarna … Tja, daarna zien we wel.'

Krankzinnig, dacht Matt. Stapelgek. Maar zo waren er wel meer geweest, natuurlijk. Hitler, om er maar één te noemen, en voor zijn krankzinnigheid uitgewoed was, waren er miljoenen mensen gestorven. Tyranac was een gevaarlijke gek. Maar hoe hield je hem tegen?

Tyranac ging zitten met zijn eigen mok, maar daarin zat een oranje vocht. Het leek wel sinaasappelsap. 'Ik zal jullie vertellen wat ik van plan ben.'

Net nu het interessant begon te worden, werd Tyranacs betoog ruw verstoord. De deuropening vormde zich opnieuw, als een oog dat werd opgeslagen, en een lange, magere man werd hardhandig naar binnen gegooid door twee anderen. Terwijl de deur zich sloot, struikelde hij. Met moeite vond hij zijn evenwicht terug. De man was maar half gekleed en zag er ondervoed uit. Net als Tyranac had hij een lange, maar grijze baard en zijn ogen stonden dwaas, als die van iemand die enkele glazen te veel op had. Hij hapte naar adem. Hij leek de schrik van zijn leven te krijgen toen hij Tyranac zag. Matt deed zijn uiterste best om kalm te blijven.

'Tyranac!' riep hij uit.

Tyranac groette hem vriendelijk terug. 'Agamon.'

'Waar is Sevinge? Wat heb je met hem gedaan!'

'Sevinge is vijfhonderd jaar dood,' zei Tyranac met voldoening.

Een siddering trok over Matts rug. Had hij dat goed gehoord? Had Tyranac deze man Agamon genoemd? Dat was toch ook de naam die Archibald had vermeld? Volgens de legende was Agamon de engel die pastoor Sevinge had geholpen in zijn strijd tegen de Ziener! Was dit dezelfde Agamon? Een miserabele engel, in dat geval.

Agamon zeeg neer op de stoel. Hij leek verslagen. 'Dan is het waar. We zijn in stasis geweest.'

'Ja. En knap lang ook. Dat zou ook zo gebleven zijn. Maar onze goede vriend Munte van het bedrijf Necroid besloot op een mooie dag om boven onze cellen een gebouwencomplex neer te planten. Hij sloeg aan het graven en daardoor stuitte hij, een beetje toevallig, op mij.' Hij moest lachen bij de herinnering. 'Hij was er niet zelf bij, natuurlijk. De arbeiders sloegen alarm toen ze mijn cel met hun graafmachine stuksloegen en merkten dat er een mens in lag. Ze staakten onmiddellijk het werk en riepen er hun chef bij. Ja, toen heeft mijn leven aan een zijden draadje gehangen. Niet iedereen die met geweld uit stasis wordt gehaald overleeft het. Gelukkig ben ik sterker dan de meesten. Het koste mij niet veel moeite om te begrijpen dat de wereld ingrijpend was veranderd sinds die vervloekte dag dat Sevinge mij versloeg. Een blik op de graafmachine volstond om vast te stellen dat alles nu anders was. Ik wist het meteen: hier zijn mogelijkheden. Er was dus geen seconde te verliezen. Munte was al ingelicht, maar dat was geen probleem. Toen hij met nog enkele mensen van Necroid arriveerde, heb ik hem onder mijn invloed gebracht. Munte heeft het geld en de macht om mij te brengen waar ik wil zijn. Hij staat volledig onder mijn invloed. Net als de meeste hooggeplaatste mensen binnen Necroid. Diegenen die zich verzetten heb ik uit de weg geruimd. Ik neem geen risico. Door mijn macht binnen Necroid heb ik al invloed op vijf continenten. Het zal snel gaan, Agamon. Heel snel!'

Agamon leek plots een stuk strijdvaardiger. 'Het zal je niet lukken. Het zal je *nooit* lukken! Er zijn te veel mensen op de wereld om ze allemaal onder controle te krijgen!'

'Ah, maar dáár heb ik de Nucleus voor, mijn beste Agamon.'

De ogen van de naakte man schoten schichtig heen en weer. 'Een Nucleus? Ben je een Nucleus aan het bouwen? Hier?'

Tyranac lachte als een overwinnaar. 'We zitten bijna aan de limiet van het aantal mensen dat we onder controle kunnen houden. Er zijn nu heel wat méér mensen dan vijfhonderd jaar geleden. Toen heb ik mezelf wat eh … overschat. Maar de Nucleus is nu bijna helemaal operationeel. Hij kan mijn krachten een miljard keer versterken. En dán trek ik de wijde wereld in. Ik voel me al veel te lang opgesloten in dit vreselijke bos. Binnenkort doen we een test. Dan nemen we Kempier in.'

'Er zullen altijd mensen zijn die zich verzetten, net zolang tot je verslagen bent!'

'Ik ben een man die weet wat hij wil en ik wil behoorlijk veel,' bitste Tyranac. 'En jij, Agamon, bent niet bij machte om me tegen te houden. Alle cellen zijn opgegraven! De jouwe was de allerlaatste. Mijn hele bemanning is opnieuw in leven. Alle dertig! Dankzij de Nucleus hebben we genoeg mentale kracht om miljoenen mensen onder controle te houden. De *juiste* mensen. En deze keer zal niemand me stoppen! In deze tijd loopt er geen Sevinge rond en de mensen van vandaag hebben niet de pit om het tegen mij op te nemen. Je hebt de keuze: sluit je aan of sterf.'

'Ik zal je nooit volgen! Je bent een moordenaar!'

Agamon sprong op, dook weg achter een tafeltje en stak zijn hand uit in de richting van Tyranac. Matt zag het niet wat hij precies deed. Er was alleen een trilling in de lucht, zoals je die kunt zien boven de weg op een hete dag. Als een pijl uit een boog overbrugde de trilling de afstand tot Tyranac. Dat ging gepaard met een dof geluid van een holle klap gevolgd door een soort zucht. Het leek op een mislukte donderslag en het boezemde Tyranac angst in. Hij wist blijkbaar wat de trilling betekende, want hij dook weg onder het tafeltje. Dat bespaarde hem een fikse dreun. De trilling sloeg in op de wand achter Tyranac, en liet daar een diepe deuk achter. Op het diepste punt knakte de wand. Er verscheen een barst, waar een dik groen vocht uit sijpelde. Matt begreep niet welk wapen Agamon had gebruikt, maar het was duidelijk niet te onderschatten.

Skip en Munte stonden misschien onder de invloed van Tyranac, maar hun drang tot zelfbehoud was ongeschonden. Ook zij drukten zich tegen de grond. Matt volgde hun voorbeeld. Binnen de kortste keren hadden Tyranacs trawanten op hun beurt de wapens gegrepen en de trillende schichten vlogen over en weer tussen hen en Agamon. De flitsen sloegen in op de wand, die deukte of met een doffe klap openspatte. Dat ging gepaard met een regen van groene smurrie, die al vlug de hele vloer besmeurde. Gek genoeg begonnen de gaten onmiddellijk weer dicht te groeien, zoals een wond die supersnel heelt. Ook de deuken vielen vanzelf weer in de plooi.

Wapens, dacht Matt. Hij vroeg zich alleen af wélke wapens! Ze droegen er geen. Ze deden het allemaal met hun handen! Het zoveelste mysterie. Matt wist niet waar Tyranac en Co vandaan kwamen, maar het waren duidelijk geen gewone jongens. Mentale krachten en handen die een soort onzichtbare voorhamer in het rond lieten schieten. Freaks van het zuiverste water. Tijd om er als de bliksem vandoor te gaan. Matt keek driftig rond. Van zijn plaats onder de tafel tot de deur was het precies tien meter tot waar de deuropening zich had gevormd. Eén sprint en hij was buiten. Als de deur openging, tenminste. Zou hij het wagen? Hoe lang zou het duren voor Tyranac achter hem aan kwam? Het was één tegen vier, dus Agamon zou het heus niet lang meer uitzingen.

'Deze keer krijg je niet de kans om de mensen van dit dorp te helpen, Agamon!' riep Tyranac.

'Laat ze met rust! Ze hebben jou niets misdaan.'

'Waarover maak je je toch druk!' riep Tyranac terug. 'Je bent een ordinaire misdadiger, net zoals ik. Een dief en een zakkenroller, meer niet. Je kwam de mensen van Kempier alleen te hulp omdat je verliefd geworden was op een vrouw van het dorp!'

Met een vertrokken gezicht kwam Agamon boven zijn tafeltje uit. 'Dat dacht je maar! Ik ben een Oppasser, geen Crimo!' Hij stuurde een schot richting Tyranac, dat hem op een haar na miste. Toen moest hij wegduiken omdat Tyranacs helpers het met een heel salvo beantwoordden.

'*Jij* was de psychopaat, die tot zijn dood op die strafkolonie moest blijven. *Jij* was degene die niets te verliezen had. *Jij* omringde je met een bende Crimo's! *Jij* nam het bevel over! *Jij* was de aanstoker van de muiterij. Door *jou* was er zoveel vernietigd! Door *jou* zijn we hier terechtgekomen!'

Matt keek opnieuw naar de deur. Terwijl de twee mannen zo bezig waren, verminderden de salvo's en verslapte de aandacht.

Verrek, het was nu of nooit. Hij keek nog even naar Skip, maar die drukte zich stevig tegen de grond en wachtte tot de storm ging liggen. Matt liet zijn vriend niet graag achter, maar hier blijven had geen zin. De wereld moest weten wat er gebeurde in het Dodenbos. Hij richtte zich op als een spurter die zich schrap zette voor de honderd meter en stormde naar de deur, terwijl de flitsen van energie om hem heen vlogen. Het duurde precies twee seconden voor Skip hem luidkeels verried.

'Pas op! Matt ontsnapt!'

Van je vrienden moet je 't hebben, dacht Matt. Hij stormde blindelings verder en bad dat de deur geen onderscheid maakte tussen Crimo's en anderen. Maar de deur scheurde vanzelf open en Matt wipte naar buiten.

'Matt!' schreeuwde Tyranac.

Een energieflits gonsde langs Matts hoofd. Gebukt rende hij verder. Hij was doelwit nummer twee geworden. Doordat hij zich moest bukken, raakte hij even het overzicht kwijt en hij merkte dan ook niet dat Mordoran een testritje aan het maken was op zijn vliegplaat. Die kon Matt, die spoorslags uit het paviljoen gestormd kwam, niet meer ontwijken. Ze knalden tegen elkaar en Matt buitelde groggy tegen de grond. Zijn vlucht was even snel voorbij als hij begonnen was.

Matt zag hoe de kolos de vliegplaat weer overeind trok. Met
een blik naar links zag hij dat Tyranac in de deuropening was
verschenen met een brede grimas op zijn gezicht.

Matt schudde zijn verdwaasdheid weg. Hij moest verder,
maar te voet zou hij nergens komen. De rand van het bos was
nog twee kilometer. Zijn enige kans was de vliegplaat. Hij veerde overeind en gooide zich tegen de vliegplaatman aan. Die was
veel groter dan Matt, maar hij was zo verrast dat hij zijn evenwicht verloor en viel. Matt nam vliegensvlug zijn plaats in. De
plaat had van ver geleken op een step die dwars op het stuur
stond. Van dichtbij zag hij er veel gestroomlijnder uit. De plaat
was minder dan een meter lang. Er waren enkele bogen, waar-
onder hij zijn voeten kon schuiven, zodat hij niet kon vallen. Iets
wat op een windscherm leek golfde van onder Matts voeten
omhoog, versmalde met de stuurstang mee en verbreedde zich
weer om het stuur. Matt keek naar het stuur. Het was recht, maar
flexibel. Het geheel leek vervaardigd uit hetzelfde materiaal als
het paviljoen. Er zat een knop aan zijn rechter- en linkerduim.
Meer niet. Kon hij de vliegplaat besturen? Daarnet had het eenvoudig geleken, maar ...

De oorspronkelijke bestuurder nam het niet dat zijn voertuig
gejat werd. Matt zag hoe Mordoran woedend overeind kwam.
Ook Tyranac en zijn maatjes kwamen op hem af.

Matt aarzelde niet langer en drukte de rechterknop in. De
vliegplaat stoof vooruit als een Ferrari en Mordoran dook
vruchteloos weer naar de grond. Matts hart klopte in een vre-

96

selijk tempo tegen zijn ribben. Zijn vijanden waren vlakbij, maar hoe graag hij zich ook uit de voeten maakte, hij was verplicht de vliegplaat even te testen. Hij haalde zijn vinger van de knop en de plaat minderde onmiddellijk vaart. Hoe verder je de knop indrukte, hoe sneller. Voorzichtig drukte Matt op de linkerknop. De plaat remde zo abrupt af dat Matt er bijna van af vloog. Hij bewoog het wendbare stuur even naar rechts en de plaat gleed gewillig mee.

Simpel genoeg. Er waren geen wielen en geen vleugels en ook geen propellers of motoren, maar Matt had geen tijd om na te denken over het hoe en waarom van de vliegplaat. Hij keek achterom. Tyranacs bende kwam als een meute hongerige wolven op hem af gerend. De Ziener zelf was bij het paviljoen blijven staan en deelde rake bevelen uit. 'Haal de hoppers! Op de grond krijgen we hem nooit te pakken!' Toch probeerde hij het. Uit zijn hand gonsde een brok energie als een dondervuist, die links van Matt een jonge iep trof. Matt keek naar het geknakte boompje en huiverde. Zo'n klap overleefde hij nooit.

Genoeg getest, besloot Matt. Tijd om op te krassen. Wat hij hier had meegemaakt, zou Archibald alvast heel erg interesseren.

Kabaal heerst nu overal in het Dodenbos. In het paviljoen ging het krakende geluid van de onzichtbare mokerslagen onafgebroken door. Agamon zou zijn huid nu wel duur verkopen. Matt wilde dat hij hem kon helpen, maar vluchten en hulp halen leek hem nu wel de enige optie.

Matt probeerde zijn hopper weg te sturen naar het pad dat naar de buitenwereld leidde, maar hij werd ruw de pas afgesneden door een zwerm hoppers. Hij dook tussen de bomen door. Achter hem hoorde hij het nijdige gonzen van hoppers op topsnelheid. Waarom had hij ook gedacht dat hij in de lucht veiliger zou zijn dan op de grond? Als ze één hopper hadden, waarom dan geen tien? Of honderd? Hij telde er algauw zes, ze gingen razendsnel en vooral: ze zaten hoog. Tussen de takken van de bomen. Hoe hoog kon zo'n hopper eigenlijk? Matt besloot het meteen te proberen. Hoe hoger hoe veiliger. Hij trok het stuur naar zich toe en drukte tegelijk de versnellingsknop in. De hopper klom pijlsnel. Met een kreet van schrik trok Matt zijn hoofd in voor een langs zwiepende tak. De bomen waren een bijkomend obstakel, vooral ook omdat het zo donker was.

Maar de achtervolgers waren natuurlijk beter geoefend dan hij. Ze waren ook groter. Dat ondervond hij al snel, toen de eerste met hoge snelheid in zijn kielzog kwam en hem probeerde te klissen. Matt wist dat het maar één tik kostte om van de plaat te worden geslingerd. Hij stuurde bruusk opzij, zeilde om een knoert van een eik heen en gleed verder omhoog. Hij bukte zich nog net op tijd om de laagste zijstam te ontwijken, maar zijn belager was een halve meter groter. Hoe hij zich ook probeerde te buigen, hij knalde onverbiddelijk tegen de tak aan een belandde met een doffe klap op de grond. Zijn vliegplaat klapte tegen een boom en brak.

De kleine overwinning deed Matt bijna roekeloos worden. Hij stelde zich niet eens vragen bij het gemak waarmee hij de hopper bestuurde. Het was alsof hij dit al jaren kende. Alsof hij na lange tijd weer op de fiets sprong. Dat leerde je ook nooit af. Maar die vergelijking ging natuurlijk niet op. Voor vanochtend had hij nog nooit een hopper gezien.

Matt zeilde net over het paviljoen heen van zijn vorige verblijfplaats, toen een stuk van het dak als een ballon uit elkaar klapte en wegvloog. De brokstukken, nat en zwaar als het vlees van een kokosnoot, tuimelden door de lucht en regenden neer op de donkere bosgrond. Matt zag nog net hoe enkele van Tyranacs mannen door het gat klauterden. Het knetteren van de dondervuisten ging onverdroten verder. Die Agamon was geen doetje.

Nu werd het menens. De volgende vijf hoppers zouden zich niet meer zo gemakkelijk laten verschalken. Ze probeerden hem te omsingelen. Matt remde af. Hij kon geen kant meer uit, dus bleef hij stil tussen de bomen hangen, vijf meter boven de grond. Te laat besefte hij zijn fout. Ze wilden juist dat hij stil bleef staan, zodat hij een gemakkelijk doelwit vormde. Een dondervuist schampte zijn arm, toen de vijfde hopper het vuur op hem opende. Hij kromp ineen van de pijn. Het was alsof er iemand met volle kracht op zijn biceps had gemept. En het was maar een schampschot.

Matt had er genoeg van. Hij dook naar beneden en liet zijn hopper maximaal versnellen. Een hopper vóór hem probeerde hem te onderscheppen, maar Matt was niet van plan om in de handen van zijn belager te belanden. Hij maakte een zigzaggend vliegpatroon, zodat de ander niet kon mikken, en bleef recht op hem af vliegen. Een seconde lang aarzelde de kerel. Op het laatste ogenblik rukte hij zijn vliegplaat opzij, maar Matt volgde hem. De jager werd plots de prooi en de man raakte in paniek toen hij verstrikt raakte in enkele dunne takken. Noodgedwongen moest hij zijn greep op het stuur lossen en viel hij van zijn vliegplaat naar beneden.

Deze keer keek Matt niet achterom. Hij slalomde zo snel als hij kon tussen de bomen weg. Zijn vijanden zoemden zonder

aarzelen achter hem aan. Matt probeerde zich te concentreren
Hij moest weg uit dit bos en deze grimmige schemering, naar
open veld en zon. Zigzaggend als een geoefende skiër gleed hij
tussen de bomen en takken door. Bladeren en kleine takken
geselden zijn gezicht en zijn armen, maar hij wilde er niet aan
denken. Af en toe vuurden zijn achtervolgers een schot af, maar
ze hadden het ook te druk met sturen om een bedreiging te
worden. Langzaam klaarde de hemel op en Matt durfde zijn
snelheid op te voeren. Hij zag de weg die uit het bos kwam en
gleed erheen. Hij dacht dat hij zo snel ging als hij kon, maar
een van zijn belagers kwam meteen langszij.

Matt keek opzij en herkende opnieuw Mordoran, die nu
duidelijk op wraak zinde. Prachtkerel, dacht Matt sarcastisch, terwijl hij nog sneller ging. De boom kwam opnieuw tot naast Matt
en zwierde met een gevaarlijke klap tegen hem aan. Het stuur
daverde bijna uit Matts handen en hij wiebelde als een dronkaard
door de lucht, voor hij de controle over het stuur herwon.

Sneller, dacht Matt. Het moest sneller! Maar daar had je
Eenoog alweer. Hij kwam langszij gegleden en probeerde hetzelfde trucje opnieuw. Deze keer was Matt voorbereid. Hij gooide zichzelf opzij, maar niet snel genoeg. Zo kwam het dat hun
sturen in elkaar haakten en ze als vliegende Siamese tweelingen
door het bos stormden.

Matt raakte in paniek. Dit liep faliekant af. Hij rukte aan
zijn stuur, maar het kwam niet los. Mordoran keek hem even
aan en grijnsde kwaadaardig. Hij probeerde niet los te komen.
Dat wilde hij helemaal niet. Terwijl hij zijn rechterhand op het
stuur hield, stak hij zijn linker uit om Matt van zijn hopper te
slaan. Matt bukte zich en miste de klap op een haar.

Hij probeerde nog eens aan het stuur te rukken, maar terwijl hij dat deed, viel hem iets anders op. Ginder, waar de zoete zonnestralen buiten het bos lokten, hadden twee hoppers het pad geblokkeerd. Als hij zich niet snel kon losmaken, dan crashte hij over enkele ogenblikken tegen die twee! Remmen! Hij moest afremmen. Hij probeerde het, maar Mordoran was hem voor. De kerel greep zijn linkerhand vast, zodat Matt de remknop niet kon indrukken. Grijnzend duwde Eenoog op zijn versnellingsknop, zodat ze nog sneller op het obstakel af schoten. Misschien was Mordoran niet bang om te sterven, of misschien waande hij zich onsterfelijk. Misschien was hij bereid zichzelf op te offeren om Matt uit te schakelen. Of misschien was hij gewoon gek. Matt keek naar de hoppers voor hem die ook weinig aanstalten maakten om uit de weg te gaan en greep zijn enige kans. Hij zette zijn scherpste tanden in de onderarm van de Eenoog en beet stevig door alsof het een sappige biefstuk was.

Mordoran gaf een gil en liet Matts arm los. Matt drukte zijn remknop in en toen hij een ruk aan het stuur gaf, kwam hij los van Eenoog. Hij trok op en racete over de twee hoppers heen. Op hetzelfde ogenblik stormde Mordoran gillend door zijn strijdmakkers heen. Met het gekletter van uiteenvallende hoppers buitelden ze over de bosgrond.

Matt keek over zijn schouder en zag dat Mordoran al rollend overeind kwam en zijn vuist naar hem balde. 'Ik krijg je nog wel!' ziedde de reus.

Maar Matt lachte in zijn vuistje en schoot het bos uit, de weldadig warme zon in. In het licht zag de wereld er plots weer veel vriendelijker uit. Maar het gevaar was nog niet geweken.

Boven het scherpe zoemen van zijn eigen hopper uit, hoorde Matt nog een andere, de laatste hopper die hem was blijven volgen. Toen hij een blik op de man gooide, merkte hij dat de piloot een zwart vizier voor zijn ogen had geschoven, als om zijn ogen van de scherpe zon af te schermen. Dat leek niet onlogisch, want in de Dodenbos hing een eeuwige schemering. Bovendien hing er plots een vreemde, nevel om hem heen. De kerel zag eruit als een vliegend spook.

Matt stuurde zijn hopper van het pad af en over open veld. De kortste weg naar het kasteel. Moest hij eigenlijk niet recht naar de politie? Inspecteur Quickner zou, nu hij hem hier op een vreemd object voorbij zag vliegen, wel anders gaan piepen. Hij veegde het idee snel van tafel. Quickner zou vast denken dat hij de zogezegde waanzin van zijn vader had overgeërfd. Nee, Matt moest goed nadenken over wie hij op dit moment kon vertrouwen.

Hij besloot toch eerst terug naar het kasteel van Archibald te vliegen, over velden en weiden vol verbaasd kijkende koeien. Eén keer raakte hij zijn achtervolger bijna kwijt aan een prikkeldraad, maar de man wist altijd weer op tijd de draad te ontwijken.

Daar waren de muren van het kasteel! Hij zag de holle weg waar hij gisteren zijn fiets had gestald voor hij over de muur was gekropen. Matt voerde de snelheid nog op en net toen hij optrok om over de muur te glijden, leek zijn geluk op. Een dondervuist van Tyranacs helper brak de stuurstang van zijn hopper in twee en rukte ze hem uit de handen. In een oogwenk was het ding omgetoverd tot oud ijzer. Door zijn snelheid vloog Matt nog even gewoon verder, in een boog over de muur heen. Hij liet de resten van de hopper vallen en klapwiekte in paniek met zijn armen als een mislukte vogel. Baatte het niet, dan schaadde het niet. Niet dat Matt nadacht. Daar was hij veel te bang voor. Hij deed maar wat. De boom waarin Archibald hem met zijn lus had gestrikt, was zijn stootkussen. Gillend en spartelend viel hij door de bladeren. De dunnere takken braken zijn val en een groter exemplaar bonkte algauw de lucht uit zijn lijf. Hij probeerde zich vast te houden, maar de boom wilde er niets van weten. Matts handen gleden van de bast en hij donderde tussen brekende takken door tot hij helemaal beneden was.

Gekneusd, geschramd, bont en blauw en helemaal groggy kwam hij op zijn kont in het gras terecht. Archibalds valstrik hing werkeloos boven zijn hoofd. Einde van de rit, dacht hij. Zijn achtervolger kwam rustig uit de lucht gegleden en parkeerde zijn hopper naast Matt, die te versuft was om meteen te reageren. Matt was ontgoocheld. Zo'n helse rit om dan net bij de eindstreep gepakt te worden. Het was niet eerlijk.

De vreemdeling stapte af. Waarom was hij eigenlijk alleen? Waar waren de anderen? Matt zag de witte nevel die als een vacht om de man hing en voelde de kou die van hem af straalde. Rillend dacht Matt terug aan die avond waarop hij paps had gevonden. Was dit de man die zijn vader had vermoord? Hoe kwam het dat hij hier zo'n intense kou uitstraalde en in het Dodenbos niet? Wat was die witte mist?

De man stak zijn handen naar Matt uit.

De vreemdeling kreeg Matt net niet te pakken. Een uit de kluiten gewassen tijger sprong uit de struiken. Hij gooide de kerel op de grond. Esso gromde vriendschappelijk, maar dat had de belaagde niet begrepen. Hij gilde van schrik en sloeg en trapte wild om zich heen. Esso lag bovenop zijn levend speelgoed. Hij snapte er kennelijk geen bal van. Waar was al die herrie voor nodig? Hij bekeek zijn prooi verbaasd, en wilde hem net met zijn gigantische tong een genegen lik geven, toen de man plots verdwenen was. Hij leek op te lossen alsof hij een luchtspiegeling was. Esso keek noest rond. Ten slotte gooide hij zijn kop opzij naar Matt, alsof hij wilde vragen: 'Snap jij waar die gozer heen is?'

Matt maakte een verontschuldigend gebaar. 'Ik weet het ook niet. Die lui doen de gekste dingen.' De verdwijntruc van de man verbaasde hem al niet meer. Hij had hen in het bos al twee keer uit het niets zien verschijnen. Het leek wel alsof ze zich door een andere dimensie konden verplaatsen. Makkelijk was dat. Even naar de bakker zonder een meter te lopen.

Maar het was natuurlijk ook ongelooflijk onvoorspelbaar. Als die vent van hier weer naar het bos kon 'springen', dan kon dat andersom natuurlijk ook net zo eenvoudig. En als hij dan kwam, dan bracht hij vast Tyranac en de rest van zijn bende clowns mee. Met andere woorden, hij was hier dus niet langer veilig. Hij moest hier zo snel mogelijk weg te zien te komen, maar eerst moest hij Archibald spreken. Hij aaide Esso even over zijn kop en greep de hopper van zijn achtervolger die daar nog lag. Misschien kwam hij nog van pas. Van zijn eigen kapotte hopper was er geen spoor. Hoe was dat mogelijk?

Met de hopper onder de arm rende hij de trap op naar de ingang van het kasteel. Hij trok aan de bel. Alsof Archibald achter de deur had staan wachten, ging ze onmiddellijk open.

'Binnen!' riep Archibald. 'Snel!'

Dat vond Matt best. 'We kunnen hier niet blijven! Het is niet veilig.'

'Het is *nergens* veilig,' verbeterde Archibald. 'Ik heb je het een en ander te vertellen.' Hij opende zijn mond om verder te gaan, maar toen viel zijn oog op de vliegplaat. 'Dit is niet het moment voor spelletjes. Wat is dat voor iets?'

'Ze noemen het een hopper,' zei Matt. Ze gingen naar de bibliotheek, waar Matt in een razend tempo het hele verhaal afhaspelde. Archibald luisterde en kneep zijn ogen steeds verder tot spleetjes. Toen Matt vertelde dat Tyranac hem niet onder zijn invloed kon brengen knipte Archibald met zijn vingers en wees op Matts borst. 'Natuurlijk niet! De amulet heeft je beschermd.'

Matt schrok. Hij was het speelgoedachtige prulletje alweer vergeten. Hij viste het uit zijn broekzak en bekeek het. Het leek onmogelijk dat dit hem had kunnen behoeden voor de krachten van Tyranac en zijn trawanten. Matt stopte de amulet snel weer terug en hervatte zijn verhaal.

'Wacht!' zei Archibald plots, toen Matt vertelde over de komst van de vreemde rebel, die hem de kans had gegeven te ontsnappen. 'Zei je Agamon? Was dat de naam die je noemde?'

Matt knikte. 'Hij weerde zich als een held, maar ik weet niet wat er met hem gebeurd is.'

'Agamon! Dat is de naam die ik ben tegengekomen in de geschriften van pastoor Sevinge.'

'Volgens de legende was hij toch een engel, zei jij?'

Archibald knikte driftig. 'Nu ja, of we dat werkelijk moeten geloven ...Voor de mensen uit die tijd was het in elk geval een logische verklaring.Voor sommige mensen vandaag de dag nog steeds, trouwens.' Hij nam opnieuw het oude stuk papier dat hij gisteren uit het dikke boek over Kempier had gehaald. 'Ik heb er een tijdje over gedaan, maar ik heb alles kunnen ontcijferen. Hierin heeft Sevinge het over een vriend, een vreemdeling die deel uitmaakte van de groep van de Ziener. Zijn naam was Agamon. Hij sloot zich aan bij Sevinge en het is dankzij hem dat Sevinge de Ziener wist te verslaan.'

'Geen wonder dat Tyranac een bloedhekel aan hem heeft,' zei Matt.

'We hebben hem nodig,' drong Archibald aan, 'als we de Ziener willen verslaan.'

'Zet dat maar uit je hoofd! Ik ga niet terug het Dodenbos in! We kunnen maar één ding doen. Naar de politie.'

Archibald keek naar hem alsof hij net beweerd had dat de aarde plat was. 'Moet jij niet nodig in je hersenpan laten kijken? Hoezo, de politie? Stel je nu eens in de plaats van een brave agent die op het kantoor zit waar jij met je verhaal komt binnenwandelen.' Archibald nam plots een onnozele houding aan en keek scheef omhoog, terwijl hij met een kinderlijk stemmetje zei: 'Excuseer, agent, maar ik heb dringend uw hulp nodig! Kunt u even mee naar het Dodenbos komen in Kempier? Er zijn daar een stuk of wat mensen die al vijfhonderd jaar dood zijn, uit hun graf verrezen! Ze staan allemaal onder de invloed van een krankzinnig monster dat eerst Kempier en daarna de wereld wil veroveren. Echt waar! Vijf eeuwen geleden heeft hij het ook al eens geprobeerd! Ze zijn daar dingen aan het bouwen die wij niet kunnen begrijpen en ze hebben krachten die ons verstand te boven gaan. Wilt u wat versterking meebrengen? O ja, en u moet vooral uitkijken voor vliegende steppen en energieflitsen die uit hun handen komen!'

Matt liet zijn schouders hangen. Op die manier klonk het natuurlijk alleen maar ongeloofwaardig. Natuurlijk had Archibald gelijk. Niemand zou hen geloven.

Archibald sprak weer op een normale toon: 'Mensen geloven niet in verandering, Matt. De wereld verandert sneller dan ze zelf beseffen, en toch geloven ze niet in verandering. Ze geloven dat gsm's en internet er altijd al geweest zijn, hoewel er twintig jaar geleden nog geen sprake van was. Ze denken dat wat nu is, altijd is geweest en altijd zal zijn. Sciencefiction-schrijvers, die geloven in verandering, maar ze worden door de rest van de wereld voor gek versleten. Om maar te zeggen dat ze je nog niet zullen geloven als je hen naar het Dodenbos brengt en de hele santenkraam laat zien. Snap je? Hun verstand kan het niet bevatten en dus geven ze er een doordeweekse uitleg aan. Om zichzelf gerust te stellen. Zet dat dus maar uit je hoofd. Nee, we moeten de klus zélf klaren. En daarvoor hoeven we niet terug naar het Dodenbos.' Hij wapperde opnieuw met het eeuwenoude briefje. 'Volgens Sevinge heeft zijn vriend Agamon de gebeurtenissen in Kempier zelf te boek gesteld. Hij heeft alles neergeschreven in geschriften die Sevinge in zijn kerk heeft verborgen. Een boek.'

'De kerk is afgebrand,' zei Matt droogjes.

'Maar sommige dingen hebben het overleefd.'

Matt wist niet of hij dat wel goed begreep. 'Bedoel je dat je

wilt gaan zoeken naar een vijf eeuwen oud boek in de ruïne van
de kerk?' Dat klonk al even ongelooflijk als het verhaal met de
agent. Een brand en vijfhonderd jaar. Hoe moest een bundeltje
oud papier zoiets overleefd hebben? 'Dat kun je niet menen.'

Archibald leek op zijn tenen getrapt. 'Heb jij een beter idee?
Je vader heeft toch ook al wat gevonden?'

'Juist daarom. Op die plek is al gezocht.'

Archibald keek hem minachtend aan. 'Jouw vader heeft de
ruïne van de kerk uitgekamd op aanwijzing van Herbert
Kuyken. Kuyken is een sluwe vos. Sluw, maar niet verstandig.
Hij beheerst de kunst om je iets op de mouw te spelden en je
te bestelen waar je bij staat. Maar hij heeft weinig kennis en
expertise in de materie. Hij is verkozen tot voorzitter van het
historische genootschap omdat hij met een andere functie niet
tevreden was. Hij versleet al de ene na de andere job totdat hij
er een vond waar men hem tot manager wilde kronen. Al is hij
nog steeds niet meer dan een veredelde loopjongen. Mag ik je
er trouwens op wijzen dat het bedrijf waar hij werkt Necroid
is en dat Marcel Munte zijn baas is? Hij is een ijdeltuit en een
weerhaan. Heemkunde of geschiedenis interesseren hem niet.
Hij weet net als ik al jaren dat aan de gebeurtenissen rond de
Ziener een luchtje zit. Dat het om iets meer gaat dan om een
volksopstand in het begin van de Nieuwe Tijd. Hij hoopt op
een ontdekking waarmee hij in de schijnwerpers kan staan. En
daarom wilde hij ook de kerk gaan opgraven. Het ziet ernaar
uit dat hij nu wel naar zijn primeur kan fluiten, maar pas op,
als hij de kans ziet, dan zal hij met de eer gaan strijken. Misschien ken je Herbert niet op die manier, maar ik wil alleen het
volgende duidelijk maken: Herbert heeft al bij al weinig ken-

nis over het oude Kempier en nog minder over Sevinges kerk. Bovendien zocht hij op de verkeerde plaats.'

De vete tussen Archibald en Kuyken was nu wel duidelijk. Wat Archibald vertelde, verbaasde Matt niet, maar het interesseerde hem nu maar half. Hij mocht Herbert ook niet, zeker niet nadat hij geprobeerd had in te breken. Dat hij bij Necroid werkte, was ook verdacht, of misschien niet. Alleen al in de lokale vestiging werkten meer dan vijfhonderd mensen. Die behoorden niet allemaal tot de bende van Tyranac. Wat Herbert zijn drijfveren dan ook precies waren, het kon wachten. 'En jij niet?'

'Ik niet. Dat zei ik je gisteren toch al? Twintig jaar geleden heeft hij geprobeerd mij op te lichten. Hij deed zich voor als een erfgenaam van de heren van Kempier. Hij wilde het kasteel buitmaken én alles wat erin zat. Een heel verhaal, dat kan ik je verzekeren. Er kwam een rechtszaak van en die verloor hij, natuurlijk. Herbert ging op zijn gezicht en kwam er bekaaid vanaf. Hij heeft jaren nodig gehad om de klap weer te boven te komen. Maar hij is geen zier veranderd. Dus: terwijl Herbert al twintig jaar aan zijn imago werkt, pluis ik al zolang alle archieven uit, zowel in binnen- als in buitenland. En in de archieven van het bisdom vond ik enkele jaren geleden dit.' Archibald slofte weer naar zijn overvolle boekenkasten en haalde er een klapper uit. Hij opende hem en viste er een groot papier uit. Hij plaatste de klapper terug en legde het papier op de ronde tafel. 'Dit is de plattegrond van Sevinges kerk. Ik heb hem al ongeveer vijf jaar. Ik kan me wel voor het hoofd slaan dat ik het niet eerder begrepen heb!'

Op het plan stond niet meer dan een kapel. Geen zijbeuken, alleen een halfrond koor en een ovaal uitsteeksel aan het uiteinde, wat vast de sacristie was. Dat was het gedeelte dat paps had blootgelegd. Archibald had er met rode stift een vreemde verwrongen veelhoek over getekend. Matt liet zijn vinger over de lijnen gaan. 'Hier hebben ze gezocht.'

'Nee,' zei Archibald. 'Dat dacht ik eerst ook. Maar toen vertelde jij me gisteren dat het teken van de Ziener op de kerktoren van de huidige kerk van Kempier prijkt. Toen ging ik de geschriften op de kaart nog eens na en sloeg ik aan het rekenen.'

'En?'

Archibald schudde het hoofd. 'Ik ben een idioot. Vijf jaar al heb ik deze kaart en ik keek er de hele tijd gewoon naast.'

'Hoe bedoel je? Wáár keek je naast?'

'Deze tekening is gemaakt door pastoor Sevinge zélf, ongeveer tien jaar na de verdwijning van de Ziener.'

Matt begreep er niets meer van. 'Toen was de kerk al afgebrand.'

'Precies. Deze plattegrond is niet van de oude kerk, maar van de nieuwe, die er nu nog staat!'

Dat vond Matt klinkklare onzin. De nieuwe kerk had wél zijbeuken. Er was ook een grote hal voor je de eigenlijke binnenkwam en een erker waar bij begrafenissen de lijken lagen opgebaard. Paps had er een week geleden nog gelegen. Niets van dat alles was op deze plattegrond te zien.

'Dat is juist,' zei Archibald. 'Maar al de rest is pas later gebouwd. De zijbeuken zijn er in de achttiende eeuw aan toegevoegd. Sevinge wilde oorspronkelijk zijn oude kerk op een andere plaats heropbouwen. Maar moet je hier eens kijken.'

Archibald plaatste zijn vinger op de sacristie. 'Hier klopt er iets niet. Ben je daar al eens binnen geweest?'

Matt schudde zijn hoofd. Archibald zei: 'Tegenwoordig is de sacristie de helft kleiner. Ik vraag me af hoe dat kan. Het kerkgebouw zélf is niet kleiner geworden. Er moet daar dus ergens een verborgen ruimte zijn. Een grote. Eentje die al enkele eeuwen verborgen is.'

'Door Sevinge? Denk je dat hij daar het boek van Agamon verstopt heeft?'

'Misschien. Dat gaan wij nu uitzoeken.'

'Nú?'

'Wilde je dan nog wachten? Kijk eens, jongeman, ik heb jaren geleden al aan de pastoor en aan het bisdom gevraagd of ik het eens mocht uitzoeken in hun kerk. Ze hebben het me allemaal verboden. Ze wilden niet dat ik in hun kerk ging graven. Ik heb me er steeds bij neergelegd, maar nu ik dit ontdekt heb, ga ik er op af, of ze het nu leuk vinden of niet. Ik heb namelijk een vermoeden van wat we daar zullen vinden. Wat zeg je ervan?'

Matt dacht na. Hij knikte. 'Hoe lang ben ik hier al?'

'Ongeveer een kwartier. Ik geloof niet dat ze nog lang zullen wegblijven.'

Archibald had gelijk. 'Laten we dan de hopper meenemen en die plattegrond.'

Archibald vouwde de plattegrond dicht en stak hem in zijn zak. Vervolgens griste hij een kleine rugzak van onder de tafel, gooide die over één schouder en knikte. 'Ik ben klaar.'

Toen ze uit het venster zeilden, gaapte Esso hen verbijsterd aan. Archibald zwaaide naar zijn tijger. 'Zo terug, Esso!' Hij stond achter Matt op de hopper, met zijn voeten naast die van zijn jonge vriend. Hij had beide armen om Matt geslagen alsof hij

111

hem een reuzeknuffel gaf. Echt veilig voelde Matt zich nu niet. De hopper flitste even snel door de lucht als voorheen, maar hij was bang om te vallen. De plaat waarop ze stonden had voldoende grip, en Matt had natuurlijk de voetklemmen. Toch beeldde hij zich steeds weer in hoe Archibald van de plaat gleed en hem in zijn val kon meesleuren.

'Ik hoop dat er niet zoiets als een transponder in die dingen zit!' schreeuwde Archibald in Matts oor. 'Dan kunnen ze ons overal vinden!'

Dat hoopte Matt ook. De situatie was al penibel genoeg. Hij stuurde de hopper in een wijde boog om Kempier heen. Het dorp lag geïsoleerd en alle grote verbindingswegen kronkelden er langs. Matt bleef ook laag, zodat er weinig kans was dat iemand hem zag. De hele vlucht voelde Matt zich ongemakkelijk, erop bedacht dat andere hoppers boven hem door de lucht gleden. Hoppers waren geruisloos. Je hoorde hun scherpe gezoem pas als ze al vlakbij waren.

De groene zoom van het Dodenbos glooide in het oosten naar hen toe, toen de begroeide heuvel van de oude kerk van Kempier in zicht kwam. De aanblik herinnerde Matt aan zorgeloze zomers vol speelplezier. Hij en zijn vrienden van de lagere school hadden hier heel wat tijd doorgebracht en plezier gemaakt. De kerkheuvel was aan het einde van de Eerste Wereldoorlog het tafereel geweest van schermutselingen. De meester vertelde hun in de klas over de verhalen en de gebeurtenissen en in het weekend ging Matt met zijn vriendjes de gevechten naspelen. Gevechten zonder echte pijn of dood.

Maar de oude kerk was niet hun doel en ze lieten die dan ook links liggen. De nieuwe kerk, inmiddels ook bijna vijf eeuwen oud, stak haar spits enkele kilometers verderop in het land-schap. Ze lag net buiten het dorp en was omringd door een omheind kerkhof. Matt naderde het kerkhof over een uitge-strekte weide. Hij gleed op nauwelijks een halve meter boven de grond.Vanaf een afstand zou men niet kunnen zien dat hij vloog.

Matt begon zich intussen af te vragen of de hopper een brandstofvoorraad had en zo ja, hoe lang die nog mee zou gaan. Hij vond de hopper een handig vervoermiddel en voel-de zich er nu al beter op thuis dan op zijn fiets. Het besturen verliep moeiteloos. Het laatste wat hij wilde was dat het ding ging sputteren en stil zou vallen omdat hij niet op tijd had getankt. Maar wat moest hij dan tanken? En waar? Er was geen klepje te zien, zelfs geen stopcontact waar je een stekker kon insteken.

Hij wipte vlot over de kerkhofmuur en landde tussen de graven. Matt haatte het kerkhof. Onbewust vermeed hij de vers gedolven graven. Daar lag ook zijn vader, in een graf zonder zerk, maar overladen met bloemen. En een eind verderop, met zerk maar met weinig bloemen, mams. Met een schok besefte hij dat zijn verdriet om haar wat begon te slijten. Hij vond het niet eerlijk, na alles wat ze ooit voor hem had gedaan, maar hij kon het gevoel niet ontkennen. De eerste, brutale pijn was weg-gesleten tot een eeuwige achtergrondpijn, een gemis dat vooral de kop weer opstak als hij begon te piekeren.

Matt voelde zich heel even een zak, maar het heden moest zijn aandacht krijgen. Hij volgde Archibald naar de kerk. De gotische poort was gesloten, maar Archibald gaf zich niet zo-maar gewonnen. Hij opende zijn rugzak, liet zijn hand er met een zacht gerinkel in rondwandelen en haalde er een grote bos sleutels uit. Hij nam zijn tijd om er één te kiezen, paste die in het slot en draaide hem om. De poort piepte open. Ze glipten met hopper en al naar binnen.

Binnen was het genadig koel. Archibald verloor geen tijd. In het licht van de zon, die door kleurrijke glasramen viel, schreed hij door de middenbeuk naar het oude altaar, sloeg daar af naar rechts en stapte door de deur van de sacristie. Het was een kleine ruimte in de vorm van een halve cirkel. Op een kapstok hing een misgewaad. Witte kastjes met randen van vergulde verf herbergden hosties, miswijn en misboeken. Er stonden enkele stoelen en een klein tafeltje, waarop een vale vaas met plastic bloemen was neergezet. Maar dat alles kon Archibald gestolen worden. Hij draaide zich naar links, zette een stap vooruit en zei: 'De buitenmuur begint pas een meter verder. Op de plattegrond was de sacristie ovaal.' Hij klopte luid op de muur waartegen hij stond. Het klonk hol. 'Achter deze muur zit een ruimte die bijna even groot is.'

Dat was best mogelijk, meende Matt, maar hoe gingen ze die ruimte openkrijgen? Wie had ze ooit dichtgemetseld en waarom?

Archibald was duidelijk goed voorbereid, want hij haalde uit zijn rugzak een flinke beitel en hamer te voorschijn. Toen Matt zag dat Archibald de beitel tegen de muur zette, riep hij: 'Ben je betoeterd? Je gaat de sacristie toch niet aan gruzelementen slaan? Als de politie daar achter komt ...!'

Archibald trok een gezicht alsof hij dat geheel onbelangrijk vond. 'Is jouw vader vermoord?'

Wat bedoelde hij daar nu weer mee? Matt zei: 'Ja.'

'Door een bende schepsels met vreemde krachten?'

'Dat geloof ik, ja.'

'En die schepsels zijn ertoe in staat om heel Kempier, zeg maar heel Europa plat te branden om hun zin te krijgen?'

'Als we de verhalen van Sevinge mogen geloven.'

'Dan snap ik niet waarom je zoveel belang hecht aan dit muurtje. Om die lui tegen te houden wil ik best wel een jaartje brommen. Wat jou?'

Matt liep rood aan. Natuurlijk had de kleine grijsaard weer gelijk. Voor zijn part sloopte Archibald de hele kerk. Als dat Tyranac kon tegenhouden, tenminste.

Archibald sloeg met de achterkant van zijn hamer her en der tegen de muur, en stopte bij een plaats die duidelijk hol klonk. Hier was de muur blijkbaar minder dik. Hij slaagde erin om een gebied af te bakenen tegen de grond, van ongeveer een halve vierkante meter. Misschien was er ooit een doorgang geweest naar de geheime ruimte. Archibald haalde zijn schouders op. Ze zouden het snel weten. Hij zette de beitel tegen de muur, haalde uit met zijn hamer en begon er keihard op te slaan.

Het leek wel of de hele muur in één klap instortte. In een wolk van wit stof verscheen er een gapend gat in de muur. Archibald knipperde met zijn ogen en kuchte het stof weg. Hij gooide de beitel opzij en tikte de rest van de muur weg met zijn hamer. In een mum van tijd ontstond er een opening van een halve meter in het vierkant. 'Slechte mortelvoeg,' gromde Archibald. 'En eeuwenoud.' Hij sleurde zijn rugzak dichterbij en haalde er een zaklamp uit. Terwijl Matt zich begon af te vragen wat er nog allemaal uit die rugzak zou komen, kreeg hij de zaklamp in zijn hand gedrukt. 'Aan jou de eer,' zei Archibald, 'jij bent kleiner dan ik en vooral leniger. Mijn knoken kunnen dat niet meer aan.'

Matt knipte de zaklamp aan en hurkte voor het gat. Hoe lang was hij al uit het Dodenbos ontsnapt? Hooguit een uur of twee, dacht hij. Het was dus al na de middag en hij voelde dat hij honger kreeg, ondanks zijn bezorgdheid om Skip. Hij vroeg zich af of hij hem ooit zou terugzien en zo ja, op welke manier. Lag achter deze muur het begin van een antwoord? Hij haalde diep adem, alsof hij onder water dook en glipte naar binnen.

De lucht van eeuwen drong binnen in zijn longen. Hij krabbelde overeind. Hij liet de lichtbundel van zijn zaklamp ronddwalen. Muf en stoffig was het hier, en leeg. Op één ding na. Het koste Matt precies één seconde om te beseffen dat hij midden in een graftombe stond. Het was de tweede keer in korte tijd dat hij met de dood werd geconfronteerd en de haartjes in zijn nek kriebelden overeind. Al was de dood slechts aanwezig in de vorm van een fantasieloze doodskist. Ze stond op een stenen sokkel en ze was perfect rechthoekig, zodat je niet kon zien wat het voeteinde was.

'Matt?' Archibald klonk bezorgd. Het bleef een beetje te lang stil naar zijn zin.

'Het is een graf,' zei Matt. 'Er staat hierbinnen een doodskist.'

Eén seconde van stilte, een verrast gemompel en Archibald trok zichzelf puffend naar binnen. Opgewonden keek hij rond, nog voor zijn lichaam half door het gat heen was. 'Dat is het! Dat is het!'

'Dat is wat?' wilde Matt weten.

Archibald scharrelde verder, kwam schuddend overeind en schuifelde tot bij de lijkkist. Hij legde zijn handen erop alsof hij een heiligdom had ontdekt. 'Het graf van Sevinge, natuurlijk!

Ik heb je toch verteld dat niemand weet waar Sevinge werd begraven? Alle latere pastoors liggen hier buiten op het kerkhof, dicht bij de kerk zelf. Sevinge niet. Niemand weet waar hij werd begraven. En al die tijd lag hij hier op ons te wachten!'

Archibald begon met zijn handen over de dikke laag stof op de kist te wrijven. Het ging niet snel genoeg voor hem, zodat hij een flinke teug lucht schepte en stormachtig begon te blazen. Een wolk van stof deed Matt naar zijn zakdoek grijpen. Hij hield hem stevig tegen zijn neus. Archibald had er geen last van. Hij veegde het laatste restje stof weg en probeerde de letters op de kist te ontcijferen. Ten slotte tikte hij met een vinger op de naam. 'Zie je wel!'

Matt kwam dichterbij en las zelf de naam: 'Sevinge.'

Archibald liet zijn handen om de rand van de kist glijden. 'Gewoon genageld. Wees een goeie kerel en haal de koevoet eens uit mijn rugzak, wil je? En breng de hamer mee.'

Hoe was het mogelijk dat er zoveel in die rugzak zat? Archibald had duidelijk alles voorbereid. Zo goed dat Matt zich begon af te vragen of de oude man de hele puzzel al niet allang in elkaar had gepast, en tot nu toe alles verzwegen had. 'Wat moet je met een koevoet?'

'Moet ik er een tekening bij maken? Weet je het niet meer? Sevinge heeft het geheim mee in zijn graf genomen. Wel, jongen, we staan hier bij zijn graf.'

'Wilde je …'

'Yep. Als hij iets mee heeft genomen in zijn graf, dan wil ik het er weer uit halen. We kunnen het gebruiken.'

Archibald deed heel nuchter en logisch, maar Matt had het er moeilijk mee. Wat als iemand het graf van mams of paps openmaakte, vroeg hij zich af. Maar hij gehoorzaamde en haalde de koevoet. Archibald knikte dankbaar. 'Licht even bij, wil je?'

Terwijl Matt bijlichtte, ging Archibald vlot en efficiënt aan het werk. Hij zocht de plaats waar de scherpe kant van de koevoet houvast vond, tikte er met de hamer tegen zodat hij goed vast kwam te zitten en duwde de koevoet naar beneden. Het deksel van de kist kermde open. Tevreden knorrend verplaatste Archibald de koevoet. Na enkele keren gaapte het deksel over de hele lengte van de kist tien centimeter open. Daarop mepte Archibald het met enkele mokerslagen van de hamer ervan af. Het deksel kwam omhoog, brak en kantelde verslagen van de kist.

Ze stonden in de plotselinge stilte van de tombe en opeens voelde Matt dat ze niet langer alleen waren. Nee, er was niemand binnengekomen, al had Matt zich al afgevraagd of dit kabaal niet tot buiten te horen was. Het was iets anders. Een geest waarde uit de kist van Sevinge.

Archibald wenkte hem. Met een hart dat klopte van schrik zette Matt enkele stappen tot bij de kist en liet hij de zaklamp in de kist vallen.

De schedel van pastoor Sevinge grijnsde hen tegemoet. Het skelet droeg nog de witte haren van een oude man en doffe, half verteerde kleren. Het was griezelig omdat de schedel opzij was gedraaid en het leek alsof Sevinge hen verwijtend aankeek. Matt werd gefascineerd door die dode holle oogkassen, maar Archibald keek er niet naar om. Hij klopte het geraamte op de schouder, alsof hij een oude vriend begroette. 'Zo, Sevinge, ouwe jongen, eindelijk ontmoeten we elkaar dan toch! Nooit gedacht dat het zover zou komen. Vertel je me nu het grote geheim?'

Op zijn borstbeen bewaarde Sevinge een gouden doos. Ze was ongeveer een A4'tje groot en een decimeter dik. De randen waren fraai bewerkt. Sevinges beide benige handen waren eromheen gevouwen, alsof hij de doos tot zijn laatste adem had verdedigd. Archibald stak zijn vlezige hand uit en trok de handen weg. De kootjes hadden geen steun meer en de handen vielen uit elkaar als een 3D-puzzel. Matt schrok ervan en deinsde achteruit. De gouden doos begon van de ribben te glijden. Archibald onderschepte ze en klemde ze onder zijn arm. Hij hijgde en keek onafgebroken naar Sevinges skelet. 'Bedankt, Sevinge.'

Ze namen de tijd om het deksel weer op de kist te leggen en haastten zich de tombe uit. Terug in het licht van de sacristie leek het alsof ze in een andere wereld kwamen. De tombe leek mijlenver. Matt knipperde met zijn ogen. Naast hem blies Archibald het stof van de gouden doos.

Er zat een slot op de doos en een sleutel was er niet. Gelukkig paste er een van de verzameling sleutels die Archibald in zijn rugzak bewaarde, op.

Zonder een geluid vouwde Archibald de doos op de oude scharnieren open. Er lag een boek in. Het kaft was van donker leer. In grote gotische letters stond er in felle kleuren een naam op geschreven: Agamon.

Matt kreeg er kippenvel van. 'Bingo!' riep hij opgewonden.

Archibald knikte en wreef eerbiedig over het eeuwenoude kaft. Hij stak zijn vingers eronder om het open te slaan, maar het boek weigerde dienst. Archibald fronste verrast zijn wenkbrauwen en gaf een ruk aan de hoek van het kaft. Het bleef koppig dicht. Hij legde het boek op zijn rug in zijn hand en wreef

119

over de rand van de bladzijden. Hij voelde er geen en zuchtte ontgoocheld. 'Het is helemaal geen boek. Het lijkt er alleen op.'

'Wat nu?' Matt bleef radeloos naast Archibald staan, die nerveus met zijn vingers op het nepboek tokkelde. Dit was toch zinloos? Het boek was duidelijk van groot belang geweest voor Sevinge. Waarom had hij het anders mee in zijn graf genomen? Had iemand, misschien lang geleden, het graf gevonden en het échte eruit geroofd en vervangen door een replica? Dat leek nogal onwaarschijnlijk.

Dit boek ging over Agamon, of beter, het was misschien met of door hem geschreven. En als dat klopte ... Agamon was iemand die zo middeleeuws was als een computerexpert. Hij deed dingen die Matts petje zelfs in de eenentwintigste eeuw nog te boven gingen. Was dit dus wel een boek? Misschien was het alleen gemaakt om op een boek te lijken, zodat het in de zestiende eeuw niet zou opvallen. Maar wat was het écht?

Matt nam het boek uit Archibalds handen, die een beetje verstrooid opkeek. Hij brak zich vast ook het hoofd over het hoe en het waarom van het boek. Matt hield het met één hand vast, terwijl hij zijn andere onderzoekend over elke vierkante centimeter van het kaft liet gaan. Hij vond niets. Als je het niet open probeerde te slaan, leek het gewoon een antiek boek. Hij wilde het net teruggeven aan Archibald toen de muis van zijn hand over een van de tippen van de omslag gleed. Die gaf vlot mee en klikte naar binnen.

In een oogwenk begon het boek te trillen en te gloeien. Matt schrok zo erg dat hij op de grond liet vallen. Hij hoorde Archibald nog 'Pas op!' schreeuwen, en toen verdween de wereld in een zee van licht.

Toen het licht verbleekte, zat er voor hen een man op een oude stoel, in een kamer die spaarzaam verlicht was. Hij zag er precies uit zoals Matt zich hem herinnerde. Grijze haren en baard, lang en mager, een scherpe neus en grote donkere ogen die in holle oogkassen lagen. Deze keer was hij niet halfnaakt. Hij droeg een grijs jasje met op de mouw een reeks lettertekens die Matt niet kon ontcijferen. Hij zag er ontspannen en tevreden uit. Hij keek Matt en Archibald aan alsof hij hen al jaren kende.

'Mijn beste Sevinge,' zei de grote vreemdeling rustig. 'Deze, eh … voorstelling is voor jou vast een hele ervaring. Waar ik vandaan kom, is het even gewoon als, nee, gewoner dan een boek hier.'

'Het is nu tijd voor mij om te gaan. Als je dit ziet, dan vertrouw ik erop dat je mijn instructies hebt opgevolgd en dat ik niet meer tot de levenden behoor. Ik weet dat de voorbije maanden erg zwaar voor je zijn geweest. Niet alleen om wat er met Kempier en zijn bewoners is gebeurd, maar vooral om de vreemde gebeurtenissen die je zelf hebt moeten aanvaarden en overwinnen. Voor iemand van jouw beschavingsniveau moet dat een nachtmerrie geweest zijn. Maar je hebt je fantastisch weten te redden. Je bent een goed en verstandig mens.'

'Voor alles wat je gedaan hebt, ben ik je, geloof ik, wel een verklaring schuldig. Het meeste heb je al begrepen, maar je hebt recht op het hele verhaal. Ik hoop, en geloof, dat je het zult begrijpen.'

Matt keek naar het boek dat hij had laten vallen, en dat nog steeds op de grond lag. Wat was er eigenlijk gebeurd?

'Het is een opname,' fluisterde Archibald. 'Het boek is een soort dvd-speler en projector in één.'

'Goed materiaal,' gekscheerde Matt. 'Als het na vijfhonderd jaar nog werkt.'

'Ssst!'

Agamon verschoof in zijn stoel. Naast hem verscheen een beeld van het oude Kempier vanuit de lucht, een kleine verzameling van lemen en houten huisjes, zanderige straten en een kleine kerk, temidden van bossen en velden. 'De geleerden van deze wereld zullen weldra tot het besef komen dat de aarde niet plat is, zoals jullie lijken te denken. Dat het een planeet is die zijn koers om de zon volgt, zoals alle andere planeten.' Het beeld zoomde uit van Kempier tot Matt na enkele seconden de omtrekken van Europa herkende. Maar het beeld bleef uitzoomen, tot de continenten van Afrika en Amerika in zicht kwamen en uiteindelijk de hele aardbol als een smaragd tegen het zwarte velours van de ruimte pronkte. Terwijl Agamon praatte, doofde zijn projectiebeeld langzaam uit. Het beeld van de aarde zwol aan en palmde de plek waar ze stonden helemaal in. Matt verloor zijn evenwichtsgevoel toen de sacristie verdween en hij in het midden van de ruimte tussen de sterren kwam te staan. Het was fascinerend. Boven, links, rechts, overal sterren.

'Archibald?' vroeg hij zwakjes. Hij keek naar beneden. De wereld was weg. Er was geen vloer meer. Er was alleen maar de peilloze diepte van het heelal. Een primitieve angst sloeg Matt om het hart. Hij schreeuwde het uit. Zijn lichaam wankelde. Hij viel! Eindeloos diep. Hij had geen enkel referentiepunt om zich te oriënteren.

Twee handen grepen hem stevig vast. 'Rustig, jongen, geen paniek.' Archibald sprak ferm maar kalm. 'Dit is gezichtsbedrog. Een soort televisie in het kwadraat. We zijn nog steeds in de kerk. De sterren maken deel uit van de projectie. Het boek is een dvd-speler, weet je nog? Kalmeer nu en geniet van de show.'

Matt haalde enkele keren diep adem en sloot even zijn ogen. Archibald had gelijk. Hij stond nog steeds met beide benen op de grond en hij ademde dezelfde lucht in als daarnet. Hij bevond zich niet in het heelal. Maar de illusie was compleet. Toen hij zijn ogen weer opende, begon de aarde weg te kwijnen in het onmetelijke heelal. Het beeld zoomde in op de zon en trok zich dieper in het zonnestelsel terug. Mars gleed rood en stralend aan hun ogen voorbij, dan enkele asteroïden, Jupiter en uiteindelijk Saturnus, de prachtige planeet met de ringen. 'Vroeg of laat zal de wetenschap beseffen dat de zon niets speciaals is,' sprak de lichaamloze stem van Agamon. 'Dat er in deze ene melkweg alleen al honderdduizend miljoen sterren zijn en in het hele universum, op zijn beurt, meer melkwegstelsels dan sterren in de melkweg. Ze zullen beseffen dat er ontelbare andere werelden zijn en vroeg of laat zullen ze zich niet kunnen onttrekken aan de ultieme vraag: als er zoveel andere werelden zijn, zijn er dan ook nog andere bewoners op die werelden?

'Het antwoord ligt op mijn tong, mijn beste Sevinge, want ik, Tyranac en al de anderen die je hebt verslagen, komen van zo'n wereld. Een wereld zo ver van hier dat je die afstand niet kunt vatten. Zelfs het licht heeft duizend jaar nodig om er te komen.'

Matt gleed door een wolk van sterren, die voorbij flitsten als vuurvliegjes. Plots leek het alsof hij werd gevangen door een zwakke, dofrode ster. Het beeld concentreerde zich op die ster, gleed er voorbij en botste dan op een lichtende zilveren planeet. Vallend door de witte wolken begon Matt eindelijk van het schouwspel te genieten. Na de stilte van de ruimte hoorde hij plots weer het ruisen van de wind langs zijn oren. Het beeld schoot als een raket uit de wolken en zag onder hem een uitgestrekte vlakte met in het hart een stervormige stad. Het was somber, hier, met laaghangende wolken die de zwakke zon afschermden. Het was als bij avondschemering op een regenachtige herfstdag. De oceaan in de verte had dezelfde kleur als de lucht.

'Dit is de belangrijkste stad van mijn wereld. De planeet heet Cirië, de enige leefbare wereld rond een oude rode dwerg, een ster vergelijkbaar met jullie zon. Door de zwakke straling van die ster is het er veel donkerder en koeler dan hier op jullie wereld. Cirië is het centrum van een sterrenwereld die zich over honderden andere planeten uitstrekt.'

De stad was een wonderlijke plaats. Matts blik gleed over voetbalveldgrote tuinen die in de lucht balanceerden op naalddunne palen en lampions zo groot als zeppelins die door de lucht schoven. Gebouwen die organisch groeiden als planten, vertakten zich eindeloos tot in de wolken. Een machtige rivier stroomde bergop tot ze zich in het hart van de stad honderden meters breed en diep in een meer gooide. Huizen maakten zich los van de grond en kozen voortdurend een nieuwe standplaats. Wolkenkrabbers klapten open als rijpe vruchten en schoten zilveren raketten naar de hemel. De lucht zoemde van het verkeer.

'De Sterrenwereld is een mooie plaats. Ze bestaat al duizenden jaren en ze groeit nog eeuw na eeuw. Ooit komt er een dag dat haar grenzen de aarde zullen opslokken. Maar die tijd is nog millennia ver. Er is geen honger, armoede of oorlog op Cirië. De economie die jullie wereld verziekt, kennen wij niet. Het bezit en de schaarste van goederen vormen niet het centrum van ons denken, zoals bij jullie. Geld is een lachwekkend primitief begrip. Jullie verknoeien te veel tijd met vechten om wat jullie hebben en om nog meer te verwerven. Jullie begrijpen nog altijd niet dat er genoeg is voor iedereen als niemand meer wil dan hij nodig heeft. Ooit was Cirië ook zo, en net zoals bij ons zal het nog lang duren voor jullie die inzichten hebben. Het is niet gemakkelijk. Vandaag is onze samenleving vredig en in volle bloei. Maar zoals in elk paradijs zijn er zelfs in de Sterrenwereld slangen. Mensen die niet tevreden zijn met hun lot. Mensen die alles hebben, maar toch nog meer willen. Die zichzelf god wanen. Ze vinden dat ze de vrijheid van anderen mogen aantasten voor hun eigen gewin. Mensen die ondanks alle medische en genetische voorzieningen onaangepast zijn aan de samenleving. Psychopaten. Geweldenaars. Megalomanen. We noemen hen Crimo's. Ze zijn zeldzaam, maar ze bestaan nog steeds. Het is een van de taken van de Oppassers om het gevaar dat zij vormen te bezweren. De Oppassers sporen de Crimo's op en verwijderen ze uit de samenleving. Ze worden niet ter dood gebracht. Onze geneeskunde is sterk genoeg om hun hersenen te manipuleren en hun denkpatronen te veranderen, zodat ze wel in de Sterrenwereld kunnen leven. Maar dan veranderen we ook hun persoonlijkheid, en die is in onze samenleving heilig. Daarom hebben wij een planeet speciaal voor de

Crimo's ingericht. Sommigen noemen het een strafkolonie, anderen een heropvoedingsgesticht. Het is een plaats, ver van de bewoonde Sterrenwereld, waar ze in alle rust kunnen werken aan een nieuw bestaan.'

Agamon zei toen: 'Ik ben een Oppasser. En ik heb gefaald.'

De achtergrondstem verdween even. In de plaats daarvan kwam het zwaarmoedige geluid van laarzen op een zwaar metalen rooster. De prachtige aanblik van Cirië maakte plaats voor een naargeestige plek. Grote mannen in grijze stofjassen marcheerden door een schemerig enge gang. Uit ventilatieplaatsen in de muur siste dunne stoom, die onmiddellijk condenseerde.

Agamon sprak opnieuw: 'We brachten Tyranac en honderden andere Crimo's naar wat we voor het gemak de strafkolonie zullen noemen. Hier zie je hoe ze naar hun cocons worden geleid.' De gang kwam uit op iets wat Matt een beetje deed denken aan de slaapplaatsen op een nachttrein. Eén voor één gingen de mannen in de bedden liggen. Er gleed een elastische kap over hun gezicht en een glazen plaat sloot het bed af. Onmiddellijk vormde zich achter het glas een ziekelijk groene mist. Matt 'zag hoe de spieren van de mannen zich ontspanden. 'De afstand van Cirië naar de strafkolonie is enorm, zelfs voor onze ruimteschepen. Het duurt alles bij elkaar twee jaar om ze te bereiken. Gedurende die tijd zou er erg veel kunnen gebeuren. Crimo's zouden kunnen proberen te ontsnappen of vriendschap proberen te sluiten met Oppassers. In theorie is dat onmogelijk, maar om elk risico uit te sluiten brengen we zowel de Crimo's als de Oppassers in stasis. Dat is een vorm van diepe slaap. Het hart klopt nog maar enkele keren per minuut en je lichaam wordt gedurende jaren nauwelijks ouder. Kort gezegd: je gaat 's avonds slapen en als je 's ochtends weer opstaat, ben je op je bestemming. Maar intussen zijn er twee jaar verstreken.'

Matt kon Agamon horen zuchten. 'We hadden geen rekening gehouden met de doortraptheid van Tyranac.' Agamon pauzeerde even, alsof hij overwoog hoe hij het volgende het best kon uitleggen. 'Wat er precies is gebeurd, weet ik niet. Je moet weten dat de bewoners van Cirië beschikken over mentale krachten die jullie op aarde niet, of nog niet, beheersen. Sommige van die krachten heb je zelf in werking gezien. In de Sterrenwereld vormen die vermogens geen probleem, want iedereen volgt de regels en gebruikt die krachten nooit in het nadeel van anderen. Crimo's doen dat natuurlijk wel. Zoals Tyranac. Tyranac ondekte op deze wereld dat hij aardbewoners mentaal kan manipuleren.

Hij is geestelijk uiterst sterk. Hij is in staat om mensen onder psychische controle te brengen. Op die manier worden de mensen onder zijn invloed willoze poppen en hij wordt de poppenspeler. Gevangen Crimo's vormen geen gevaar. Tot ze volledig heropgevoed zijn, krijgen ze een chip ingeplant. Dat is een apparaatje dat in hun hersenen wordt ingebracht. Je ziet het op hun slapen als een soort dubbel kruis. Het voorkomt dat ze misdadig gedrag zullen vertonen. Daarom zie je ook geen boeien bij de Crimo's. Ze zijn overbodig. Misschien was Tyranacs chip defect of misschien heeft hij het systeem kunnen ontmantelen. Feit is dat ons ruimteschip werd gesaboteerd.'

Het volgende beeld dat Matt zag, was dat van een driedelig plat ruimteschip: een scherpe driehoek met afgeronde hoeken vormde het middenstuk, twee kleinere maar identieke structuren aan weerszijden maakten het geheel compleet. Een netwerk van buizen vormde de verbinding tussen de drie delen van het schip. Het zeilde majestueus tussen de sterren tot een steekvlam gedurende een fractie van een seconde de glimmende staart van de hoofdromp ontsierde. Daarna smeulde op die plaats een zwartgeblakerd gat.

'Tyranac had het schip gesaboteerd. We bleven ongeveer vijf jaar in hibernatie en kwamen op die manier ver buiten de grenzen van de Sterrenwereld terecht. Toen de Crimo's ontwaakten, namen ze het schip over. Ze begonnen de Oppassers in hun slaap te doden, maar faalden. Enkelen van ons ontsnapten en er ontstond een gevecht. De besturing van ons schip werd zwaar beschadigd. We raakten op drift.'

Op het beeld verscheen plots een oorlogsscène. De gangen waardoor de Crimo's zojuist nog mak naar hun slaapplaatsen gingen, waren nu schuilplaatsen geworden. Dondervuisten knalden over en weer. Een man lag in een gebroken houding op de vloer. Ergens klonk klaaglijk geschreeuw. Matt kreeg rillingen over zijn rug toen hij zag hoe de energieflitsen uit de handen van de Crimo's gonsden.

Nu begon het beeld te trillen. Het gevecht hield op en iedereen begon in paniek door elkaar te lopen. Het beeld binnen viel weg en Matt zag weer hoe het ruimteschip stuurloos in het heelal zweefde. Het begon over te hellen en viel in de richting van een blauwe planeet. Witrode vlammen omhulden het te pletter slaande schip toen het de atmosfeer binnengleed. Het donderde met grote snelheid door de donkere wolken van een besneeuwde winteravond. Toen het als een brandende toorts op de grond crashte, veranderde het de wijde omgeving in een zee van vuur.

'De wrekende adem van God,' hoorde Matt Archibald zeggen, 'die het dorp Teverlo verwoestte.'

'De crash kostte de meesten onder ons het leven,' vervolgde Agamon. 'Zowel Crimo's als Oppassers waren het slachtoffer. Maar Tyranac overleefde het en zijn kompanen ook. Met dertig waren ze, meer dan genoeg om tienduizenden mensen onder hun invloed te houden op deze primitieve planeet. Ikzelf overleefde de crash ook, als enige Oppasser. Ik was machteloos, dus koos ik voor de enige mogelijke oplossing. Tyranac kende mij niet persoonlijk, dus deed ik een stofjas aan van een Crimo en werd één van hen. Ik droeg mijn nepchip nog, zodat ik helemaal op een Crimo leek. Die chip, die zichtbaar is als het Crimokruis op de slaap, gebruik ik soms als ik op de strafkolonie ben. Deze keer gebruikte ik ze om me bij hen aan te sluiten. Het was de enige manier om hen op termijn te kunnen verslaan. Ik moest hen helpen, zodat we allemaal van deze planeet konden ontsnappen en terugkeren naar de Sterrenwereld. Vergeef me het bloed dat aan mijn handen kleeft, mijn beste Sevinge. Ik was zo ontredderd dat zelfs ik vond dat jullie op deze planeet minderwaardige schepsels waren. Dat we jullie moesten gebruiken, zelfs misbruiken, om ons doel te bereiken. Omwille van de doden die ik op mijn geweten heb, ben ik nu zelf een Crimo geworden. Het was pas toen ik Nele leerde kennen dat ik tot het inzicht kwam dat ik verkeerd zat. Haar liefde was de sleutel. Zij bekeerde mij en zorgde ervoor dat ik me aansloot bij jou en de inwoners van Kempier.'

Het beeld loste op en vaag werden de trekken van Agamon in zijn stoel weer zichtbaar, tot hij even tastbaar was als Archibald, die naast Matt stond. 'De rest van het verhaal ken je, mijn beste Sevinge. Dankzij jouw hulp konden we Tyranac verslaan. Jij ontfutselde hem het Cranium en schakelde hen één voor één uit. Dankzij jou konden we hen weer in hibernatie brengen en in het Dodenbos begraven. De reservekrachtbron uit ons schip heb ik kunnen redden, en die volstaat om hen gedurende duizend jaar in leven te houden. Ik heb de zender opgesteld die al die tijd een noodsignaal zal uitzenden naar de Sterrenwereld, maar het is een gewoon radiosignaal en dus duurt het duizend jaar voor het signaal op Cirië aankomt. Hopelijk slaag ik in mijn opzet en zal er over duizend jaar op deze plaats opnieuw een ruimteschip landen om ons allemaal op te pikken. Misschien is de aarde dan voldoende ontwikkeld om ons te accepteren.'

'En nu moet je ook mij begraven. Ik koppel mijn lot aan dat van de Crimo's. Laat de bewoners van de Sterrenwereld oordelen over mijn daden. Voor jou en de inwoners van Kempier ben ik een held, maar jullie hebben ongelijk. In primitieve situaties verandert een mens weer in een dier. Het vernislaagje van beschaving is zo dun en het lost zo snel op. Laat anderen over mij oordelen.'

Uit zijn stofjas diepte Agamon twee dingen op. Matt kreeg er kippenvel van, want hij herkende ze allebei. Het eerste was de amulet, waarvan hij ook een exemplaar op dit eigenste ogenblik in zijn zak had. Het andere was niets anders dan de zapper die uit zijn woonkamer was gestolen op de nacht dat paps was vermoord! 'Deze moet je allebei goed bewaren, voor het geval er iets misloopt. De Psycher, die je behoedt voor de invloed van Tyranac en de zijnen. Het zorgt voor een beschermend veld dat hun mentale straling ombuigt. En het Cranium, die de chip in het hoofd van de Crimo's aan en uit zet. Het werkt bij alle Crimo's, maar wellicht niet voor honderd procent bij Tyranac. Wees dus voorzichtig.'

Ten slotte nam Agamon een berustende, bijna smekende houding aan. 'Aan jou, Sevinge, vraag ik je: draag zorg voor mijn lieve Nele en voor het kind dat ze in zich draagt. Het is het enige geschenk dat ik deze wereld kan geven. Bedankt voor alles. Vaarwel.'

Agamon was even snel verdwenen als hij gekomen was. Matt en Archibald stonden weer in de sacristie. Het was ijzingwekkend stil. Matt voelde hoe zijn hart radeloos tegen zijn ribben klopte. Had hij gedroomd? Had hij dit echt allemaal gezien? Aarzelend draaide hij zijn hoofd om naar Archibald.

'Wauw,' zuchtte Matt.

'Je haalt me de woorden uit de mond.'

Matt hurkte neer en raapte eerbiedig het boek van Agamon op. Geen wonder dat Sevinge het mee in zijn graf had genomen. 'Het zijn helemaal geen mensen,' besloot hij. 'Het zijn buitenaardse wezens!'

'Hangt ervan af hoe je de benaming 'mens' gebruikt. Ze komen in elk geval van een andere planeet en dat verklaart nogal wat, hè?'

Matt knikte.

'Hulp van buitenaf moeten we in elk geval niet verwachten. Zei hij niet dat de Sterrenwereld duizend lichtjaren ver is? Dat signaal van hem is dus nog vijfhonderd jaar onderweg naar zijn thuiswereld. We moeten het zelf zien te rooien. De vraag is hoe?'

Matt wist het. 'Dat ding dat hij liet zien. Die eh...'

'Psycher? Dat is de amulet dat ik je gegeven heb. Blijkbaar is het een hoogtechnologisch snufje.'

Matt wuifde ongeduldig met zijn handen. 'Nee! Het andere. Het Cranium. Dat toestelletje heeft maandenlang in ons huis gelegen! Het is de zapper die paps en Herbert Kuyken hebben opgegraven in de oude kerk!'

Archibald stond perplex. 'En nu is het verdwenen?'

'Op de nacht dat paps is vermoord!'

'Dat kan geen toeval zijn. Tyranac heeft dat ding weggenomen.'

'Maar hoe wist hij het te vinden?'

Archibald beet krampachtig op zijn lip. 'Herbert Kuyken!'

'Wat?'

'Zie je het niet? Het plaatje klopt perfect! Tyranac wordt tot leven gewekt door de opgravingen van Necroid. Hij neemt het lichaam van Marcel Munte, de baas van Necroid, over met zijn geest. Herbert Kuyken is manager bij Necroid. Ofwel is hij ook onder Tyranacs invloed, ofwel spant Herbert met Tyranac samen. Daar is hij perfect toe in staat. Hij zou een bondgenootschap met dat buitenaardse monster als een buitenkans beschouwen. En hij wist dat jouw vader de zapper had. Hij heeft hem nota bene zélf met je vader opgegraven.'

Matt gaapte Archibald aan. 'We zitten in de nesten.'

'En hoe,' beaamde Archibald. 'Tyranac heeft geweldig veel mazzel gehad. Vijfhonderd jaar geleden kon hij weinig beginnen. Zijn ruimteschip lag aan diggelen en de wereld waarin hij belandde, was te primitief om hem op te helpen. Hij kon alleen de baas spelen over een stel boeren uit de nieuwe tijd die geen letter konden lezen. Maar nu, nu ontwaakt hij in een wereld die niet meer opkijkt van hightech elektronica. Necroid is een groot industrieel concern dat hem alle middelen en alle technologie kan geven die hij nodig heeft. Daarom kan hij hoppers bouwen en al dat andere spul.'

Matt stond te bibberen. Zijn wereldje was de laatste maanden al grondig overhoop gegooid, en het werd met de dag angstaanjagender. Terroristische aanslagen aan het andere eind van de wereld en massavernietigingswapens die god weet waar werden bewaard, het waren de dingen die de wereld in zijn greep hielden. Maar dit alles was gevaarlijk dichtbij. 'Tyranacs mogelijkheden zijn onbegrensd. Wat als hij de wereld wil veroveren? Met zijn mentale krachten en zijn technologische overmacht kán hij dat. Wat als hij de mensen van deze wereld wil gebruiken om de Sterrenwereld van Agamon aan te vallen? Hij is gewetenloos. Het kan hem niet schelen dat er slachtoffers zullen vallen.'

'Het Cranium is de sleutel. Die moeten we zien te bemachtigen. Anders kunnen we het wel vergeten.'

'Maar het is weer in handen van Tyranac!'

'Ben je daar zeker van? Je weet niet wie het ding gestolen heeft. Misschien was het Tyranac. Misschien was het een van zijn trawanten. Je zei dat Munte je vader persoonlijk heeft bedreigd, dus misschien heeft hij wel het Cranium gestolen. Of misschien stuurde hij Herbert Kuyken.'

De mogelijkheden warrelden als sneeuwvlokken door Matts hoofd. Drie kandidaat-moordenaars. Herbert Kuyken? Matt kon het nauwelijks geloven, maar Archibald twijfelde blijkbaar niet aan waar zijn aartsvijand toe in staat was. Toch klopte het niet. Waarom had hij dan geprobeerd in te breken, gisteren? Nee, Kuyken had er niets mee te maken.

Een beklemmend gevoel overspoelde plots Matts geest. Het kwam van boven, van links, van rechts, van overal tegelijk. Iets onheilspellends omsingelde hen. Wat het te betekenen had wist hij niet, maar hij kon het gevoel onmogelijk negeren. Weg. Ze moesten weg. Onmiddellijk. Onder Archibalds verwarde blik greep hij naar de rugzak en liet hij Sevinges boek erin glijden.

'We moeten maken dat we hier weg komen!' riep hij. Hij slingerde de rugzak over een schouder en liep de sacristie uit naar de hopper.

'Wat scheelt er?' vroeg Archibald, die alle moeite had om zijn jonge vriend bij te houden.

'Ik weet het niet zeker. Maar er komt *iets* op ons af. Ik voel het!'

Matt trok de hopper omhoog en activeerde het toestel, zodat het enkele decimeters boven de grond zweefde aan zijn hand. Maar Archibald wilde de plek nog niet zomaar achterlaten. Zijn slimme oogjes namen elk detail op. 'Matt, kijk! Kijk nu toch eens! Dit is ongelooflijk! Wat een idioot ben ik toch. Dat ik dat nooit eerder gezien heb!'

Matt keek, nukkig. Er was onheil op komst. Hij wilde hier onmiddellijk weg. Ze hadden geen tijd meer voor praatjes. Maar Archibald rende naar het koor, waar een barok beeld van twee engelen een stralenkrans droeg. In het midden van die stralenkrans, gevat in steen, zat een stuk glas dat Matt al honderden keren eerder had gezien. Zonder dat hij er aandacht aan had geschonken. Maar nu wist hij onmiddellijk wat het was. Archibald werd er kinderlijk enthousiast van. 'Matt, dit is de tweede amulet! Sevinge heeft ze open en bloot in zijn kerk bewaard en wij hebben het nooit gemerkt!' Hij moest lachen om zijn eigen domheid.

Hoe groot die domheid was, werd al snel duidelijk. Zijn extra vondst kostte hen net iets te veel tijd. Matt wilde op de hopper stappen, toen twee mannen uit het niets verschenen. Breed, groot, harig. Tweelingbroers van Tyranac. Ze hadden een donker vizier voor hun ogen en een witte nevel om hun

135

lichaam, zoals de man die Matt had achtervolgd op de hopper. Wapens droegen ze niet, maar met de energie in hun handen hadden ze die ook niet nodig.

Een van de Crimo's maakte een grimas op zijn gezicht. 'Het signaal was juist! We hebben ze!'

Signaal? Waar had hij het over? Werkte Agamons boek misschien als een zender en hadden de Crimo's dat opgepikt? Hadden ze zichzelf verraden? Matt had geen tijd om erover na te denken. Hij sprong op de hopper. Hij zag hoe een van de Crimo's zijn hand naar hem uitstak, net zoals Tyranac dat had gedaan in het bos. De Crimo wilde hem manipuleren en keek verbijsterd toen dat niet lukte. Precies als in het Dodenbos voelde Matt niets. Hij schoot op de hopper omhoog. Woedend omdat zijn prooi dreigde te ontsnappen, vuurde de Crimo met zijn hand. Het schot miste. Het donderde naar een heiligenbeeld tegen de muur en sloeg het in twee stukken. In een wolk van gips viel het op de kerkvloer en spleet een grote tegel.

Met bonzend hart keek Matt over zijn schouder. Hoe moest het nu verder met Archibald? Die had geen amulet en dat kostte hem zijn vrijheid. Matt vloog over zijn hoofd en zag Archibald mak en met hangende schouders voor de tweede Crimo staan. Hij had zijn vinnige geest verloren.

'Haal hem neer!' gilde de Crimo, die Matt had laten ontsnappen.

Het was duidelijk dat hij een makkelijk doelwit was. Matt cirkelde doelloos rond in de kerk, die volledig was afgesloten. Lang kon hij dit niet volhouden. Af en toe losten de Crimo's een schot. Het pleister van de muren zat algauw vol gaten en hier en daar zat zelfs een steen los. Straks vond de pastoor de ravage en morgen las je in de krant dat er vandalen aan het werk waren geweest, dacht Matt in een flits. Het was een kwestie van tijd voor één van de dondervuisten Matt zou raken. Bovendien konden de Crimo's versterking halen.

Heel even bleef Matt besluiteloos boven de middenbeuk hangen. Hij wilde Archibald hier niet achterlaten, net zoals hij dat ook met Skip niet had willen doen. Hij moest evenwel snel handelen. Hij keek nijdig naar de kleurige glasramen. Ze waren zijn enige kans. Zou hij het halen? In de film vlogen de helden door glas alsof het suiker was. Maar dit glas was echt en hij kon er zich lelijk aan snijden. Bovendien zou de klap hard aankomen. Wat als hij zijn hoofd raakte? Hij *moest* ontsnappen.

De Crimo's namen de beslissing voor hem. Eén van hen zond een aantal dondervuisten achter hem aan, die een biechtstoel splinterde en de muur daarachter bewerkte. Hij dreef Matt steeds sneller door de kerk. Intussen strekte de andere Crimo beide handen uit naar Archibald. Onzichtbare handen tilden de grijsaard op en deden hem omhoogtollen als een helikopter. Archibald veranderde prompt in een levend projectiel, molenwiekend met armen en benen, dat Matt door de kerk achternazat. Vervolgens dwong de Crimo Archibald in de richting van Matt. Die had het niet zien aankomen en om zijn vriend te ontwijken, ging hij met een ruk naar links. Dit zette Matt op koers naar één van de glasramen. Hij wist meteen dat hij niet meer zou kunnen stoppen. Hij was té dichtbij en hij ging té snel. Het enige dat hij kon doen, was zijn handen voor hem uit strekken om de vreselijke klap op te vangen. Kon hij het raam maar breken! Hij *wilde* dat het brak, stukvloog, verpulverde. Tot zijn verbazing voelde hij zijn hand branden en een *golf* rolde donderend uit zijn handpalm. De doorzichtige schicht raakte het raam en blies het in duizend kleine fragmenten naar buiten. Onmiddellijk daarna schoot Matt erdoorheen. Hij bukte zich, maar er was niets meer waar hij tegenaan kon botsen.

Achter hem verstomde het geschreeuw van de Crimo's, terwijl hij verdoofd over het kerkhof raasde. Geschokt keek hij naar zijn handpalm, die zoveel kracht had uitgestraald. Wat *was* hij eigenlijk? Hij had gezien hoe de Crimo's flitsen van energie schoten, en nu sloeg hij met diezelfde energie een gat in de kerkmuur! En hoe had hij geweten dat de Crimo's in aantocht waren? Hij had het gevoeld, zo zeker als hij een plotselinge windvlaag voelde.

Bibberend van de schok, meer dan van de schrik, zoefde hij over de kerkhofmuur. Hij kon later wel uitzoeken wat hij precies was. Hij herinnerde zichzelf eraan dat hij nog steeds de enige mens te wereld was die Tyranac en zijn Crimo's kon tegenhouden. Hij knipperde met zijn ogen tegen de wind. Of was dat niet zo? Nee. Er was nog iemand. Iemand die hij nu liever niet zag, maar hij had geen keuze. Hij kon nu alle hulp gebruiken. Als hij haar tenminste kon overtuigen.

Bevend keek hij opnieuw naar zijn trillende hand.

Het duurde niet lang voor de Crimo's zich terugtrokken uit de kerk. Met slechts een halve prooi hadden ze nog werk voor de boeg. Nauwelijks een minuut nadat Matt op zijn hopper de kerk had verlaten, daalde een weldadige stilte neer over de kerk. Heel even bleef dat zo. Toen klonk er gestommel in een van de oude biechtstoelen. Het gordijntje schoof aarzelend opzij en een man kwam op trillende benen tevoorschijn. Hij keek rond, alsof hij zich ervan wilde vergewissen dat de geweldenaars verdwenen waren. Hij bekeek even zijn schuilplaats, waarvan het houten dak door de vreemdelingen kapotgeschoten was. Het kapotte glasraam kreeg even zijn aandacht, maar dan richtte hij zich op het koor. De sacristie liet hij links liggen. Hij stapte tot bij het beeld van de engelen en keek verbijsterd naar de glanzende amulet.

Kirsten was boos. Alleen maar op zichzelf deze keer. Ze had 's ochtends ontbeten en de krant gelezen, maar ze kon zich nu al niet meer herinneren wat erin stond. Om haar zinnen te verzetten had ze haar kamer opgeruimd, afgestoft en door wat met meubels te sjouwen een nieuwe look gegeven. Ze wist nog nauwelijks waarom ze het had gedaan. Intussen zat ze voor haar pc op de website van Mensa problemen op te lossen, maar ze kon zich niet concentreren.

Tijdens het ontbijt, het lezen van de krant, het opruimen van haar kamer en het raadplegen van internet dacht ze alleen maar aan gisteravond. Aan de halfzachte Archibald, alias Heavy Archie, waarvan ze nog steeds niet begreep waaraan hij zijn belachelijke bijnaam verdiend had. Aan stomme Matt en idiote Skip, die vanochtend als twee klojo's naar het Dodenbos waren getrokken alsof ze naar een doordeweeks ontwikkelingsproject gingen kijken. Heavy Archie met zijn achterlijke ideeën over een middeleeuwse legende die weer tot leven was gekomen. Je kon net zo goed geloven dat Robin Hood straks weer uit de struiken sprong of dat Kludde de watergeest opnieuw late wandelaars kwam kwellen. Dat vliegtuigen écht spoorloos verdwenen in de Bermudadriehoek en dat het monster van Loch Ness echt bestond, terwijl er voor al die dingen echte, voor honderd procent bewezen wetenschappelijke verklaringen bestonden. Er waren in de afgelopen vijfduizend jaar bibliotheken vol mysteries te boek gesteld. Verschijningen en gebeurtenissen die niemand ooit had kunnen verklaren. Als je er tenminste niet te diep over ging nadenken, want dan pasten elk van die gebeurtenissen heel precies in de natuurwetten die al veel langer bestonden dan vijfduizend jaar.

Archibald en Matt en Skip waren fantasten. Onwetend. Bijgelovig. En dom. Oerdom.

Waarom zat ze dan de hele ochtend al aan hen te denken?

Wat als die vervloekte Archibald het bij het rechte eind had?

Verdomme!

Ze hamerde met haar vuisten op het toetsenbord van haar pc en schakelde hem gefrustreerd uit. Ze zat hier al drie uur zichzelf wijs te maken dat ze geen moer gaf om wat er met die twee kneusjes gebeurde. En waarom waren die rothonden zo hard aan het blaffen? Kirsten had een hekel aan de twee Rottweilers, die het huis bewaakten. Het waren biologische robots, alleen getraind om te waken en, indien nodig, te bijten.

Ze keek van haar dode scherm opzij, naar het raam, waardoor ze een rij hoge bomen kon zien die een reeks velden achter het huis omgaven. En daar stond het begin van een antwoord op al haar vragen. Voor het raam zag ze het ernstige gezicht van Matt, dat naar binnen keek. Zie je wel! Hij was al terug en hij kwam haar vertellen wat voor een volslagen idioten hij en Skip waren geweest.

De opluchting verdween op slag toen Kirsten besefte dat ze een zolderkamer had. Matt stond voor haar raam, maar dan wel vijf meter hoog. Hij tikte met een vinger tegen de ruit en zei iets. Zijn lippen vormden de woorden: 'Laat me binnen'.

Stond hij op een ladder? Dan had ze die toch niet tegen de muur horen plaatsen. Trouwens, waarom zou hij een ladder nemen om haar op te zoeken? Hij kon net zo goed aanbellen.

Kirsten kreeg een wee gevoel in haar buik. Dat had ze ook als ze een antwoord op een vraagstuk niet vond of als ze bang was om een tenniswedstrijd te verliezen. Het was de angst die ze voelde als er iets verschrikkelijk fout zat. Ze veerde op en liep naar het raam. Voor ze het opende, zag ze al dat Matt geen ladder had. Een ogenblik lang staarde ze verbijsterd naar die armzalig replica van een step waarmee hij in de lucht hing. Ik droom, dacht ze even. Ze weigerde te aanvaarden wat ze zag. Dit *kon* niet! Newton had zijn appel uit de boom zien vallen en wist dat de zwaartekracht elk inert object uit de lucht plukte. Maar Matt zweefde daar roerloos op vijf meter hoogte en stak de draak met Newtons wetten. Met bevende vingers opende Kirsten het raam. Haar lippen probeerden enkele woorden te vormen, maar uiteindelijk kon ze alleen maar zeggen: 'Matt!'

Een flikkering in Matts ogen vertelde haar dat hij haar verbazing op prijs stelde. Het kneusje zette de bolleboos voor joker! Ze gunde hem zijn kleine overwinning en zette een stap terug. Maar Matt was nog niet klaar met pronken. Zijn gekke step kwam in beweging en zeilde vlekkeloos door het raam naar binnen. Als een heks die van haar bezem sprong, stapte hij af en zette de step tegen het voeteinde van haar bed. Zonder een woord ging hij zuchtend op haar bed zitten.

Kirsten raakte voorzichtig de step aan. 'Dit,' zei ze, 'is ongelooflijk!'

'Er is nog veel meer dat ongelooflijk is,' zei Matt.

'Vertel me niet dat dit ding uit het Dodenbos komt!'

Matt keek haar dreigend aan. Ze schrok er een beetje van. Matt had haar altijd een kneusje geleken, maar vandaag zag hij er strijdbaar uit. Hij zei ferm: 'Beloof me dat ik het hele verhaal kan vertellen zonder onderbreking. Stel geen vragen tot ik klaar ben.'

Kirsten had nog nooit iemand zonder onderbreking laten uitspreken. Maar ze was veel te nieuwsgierig om nu iets anders te zeggen dan: 'Oké.'

Ze hield woord. Dat kwam omdat ze gaandeweg besefte dat hij dit verhaal onmogelijk vanochtend kon verzonnen hebben. Bovendien had hij de hopper als bewijs meegebracht. Toch kon haar verstand het niet zomaar aanvaarden. Wezens van een verre planeet wiens ruimteschip was verongelukt en op een middeleeuws dorp was neergestort? Gisteren zou ze er smakelijk om gelachen hebben.

'Onmogelijk,' zei Kirsten beslist, toen Matt zijn verhaal had afgerond.

'Maar waar.' Het ergerde hem dat ze alles wat hij zei zonder meer in twijfel trok. Zo was ze altijd. Wat Matt zei, dat was per definitie onzin.

Ze *wilde* het niet geloven. Ze stond op en liep naar de overkant van de kamer, waar een wit bord stond. Ze pakte een stift. 'Elementaire kosmologie,' zei ze. Ze schreef op het bord een twee met daarachter elf nullen. 'In ons melkwegstelsel bevinden zich naar schatting tweehonderd miljard sterren. Dat is tweehonderd keer duizend miljoen.'

Matt haalde zijn schouders op. Wist hij veel.

Kirsten ging verder: 'In het heelal bevinden zich méér melkwegstelsels dan dat er sterren zijn in onze melkweg.'

Daarop moest Matt glimlachen. Agamon had precies hetzelfde gezegd.

'Er is een formule,' ging Kirsten verder, 'die berekent hoeveel mogelijke beschavingen er in ons melkwegstelsel zijn. Ze houdt rekening met de soorten sterren in de melkweg, want die zijn niet allemaal geschikt voor leven. Ook calculeert ze in hoe dikwijls planeten worden gevormd rondom een ster, hoe moeilijk het is om uit de bouwstenen van de kosmos leven te laten ontstaan, enzovoort. De formule is heel voorzichtig, maar toch is de uitkomst ongelooflijk: waarschijnlijk zijn er in onze melkweg alleen al miljoenen beschavingen zoals de onze. Sommige zijn verder ontwikkeld dan de onze, andere minder.'

Matt maakte een hulpeloos gebaar. Waar zeurde ze dan over? 'Dat wist ik helemaal niet. Maar als jij het wel weet, waarom wil je mij dan niet geloven?'

'Ik geloof best dat er leven bestaat op andere planeten. Meer nog: ik ben ervan overtuigd. Je moet een volstrekte idioot zijn om te geloven dat er alleen op aarde intelligent leven is.' Matt hoorde haar denken dat de meeste mensen idioten zijn, maar Kirsten ging verder: 'Het probleem is: hoe komen ze hier? En als ze in staat zijn om hier te komen, waarom zouden ze het dan doen? De afstanden tussen de sterren zijn onvoorstelbaar. Van hier tot bij de dichtstbijzijnde ster is vier lichtjaren. Weet je hoe ver dat is? Om je een idee te geven: stel, er is een snelweg tussen de aarde en die ster, Alfa Centauri. Stap in een auto en rij ernaartoe met een snelheid van 120 kilometer per uur. Dat kost je 36 miljoen jaar! En dat is nog maar dat ene sterretje aan de overkant van de straat. Jij had het over duizend lichtjaren. Zelfs onze huidige ruimtevaartuigen doen er tienduizenden jaren over om Alfa te bereiken. Reizen tussen de sterren is een moeilijke zaak. Om niet te zeggen onmogelijk. Dan nog: stel dat iemand erin slaagt om die reizen toch te maken binnen een redelijke termijn. Waarom dan naar de aarde komen? Zelfs als er miljoenen beschavingen bestaan, dan zullen er hooguit enkele zijn die dat soort reizen kunnen maken. En die hebben miljoenen andere sterren te onderzoeken voor ze nog maar in de buurt van de aarde komen.'

Met andere woorden, dacht Matt, maak iemand anders wat wijs. Hij zei: 'Tenzij ze vlak bij de aarde beginnen.' En ineens wist hij wat Kirstens probleem was. Ze was verstandig, maar ze had geen visie. Hij zei: 'In de hele school ken ik niemand die zoveel weet en die zo slim is als jij.' Hij zag dat die opmerking haar plezier deed. Ze probeerde het te verbergen, maar ze kon zichzelf geen houding geven. Kijk hoe simpel het was om haar te laten glimlachen. Iedereen wist wel wat een bolleboos Kirsten was, maar niemand zei het. Hij ging verder: 'Maar je hebt geen fantasie. Zal ik je eens iets vertellen wat *ik* ooit hebt gelezen? Een of andere schrijver, die zei: elke hogere beschaving zal voor ons op magie lijken.'

'Clarke,' zei Kirsten. 'Arthur Clarke.'

'De afstanden tussen de sterren zijn groot, maar misschien zijn er binnenwegen, oversteekplaatsen, weet ik veel. Dingen waarvan wij niet eens kunnen dromen. Een middeleeuwer kan zich niet inbeelden dat er zoiets als een computer kan bestaan. Voor hem zou een pc magie zijn. Voor ons is het een doordeweeks apparaat. De mensen in het Dodenbos kennen en begrijpen dingen die wij niet voor mogelijk houden.'

Kirsten liet haar schouders een beetje hangen. Heel even leek haar gezicht opnieuw in een donderwolk te veranderen, maar dan klaarde het op en een stralende glimlach verscheen op haar gezicht. 'Jij bent niet zo stom als je eruitziet, hè?'

Een glimlachend kreng? Matt grinnikte. 'Ik mag hopen van niet.'

Ze schudde haar hoofd en kwam naast hem zitten. 'Ik ben niet overtuigd. Ik heb je hopper gezien, maar dat kan net zo goed een of andere militaire ontwikkeling zijn. Misschien zijn die lui in het Dodenbos spionnen die her en der militair materiaal hebben gejat.'

'Wie kraamt er nú onzin uit? Wat hebben spionnen in het Dodenbos te zoeken? Als je er was geweest, zou je anders praten.' Hij greep de rugzak en toonde haar het boek van Agamon. 'Dit is niet wat het lijkt. Het is een projectietoestel voor een soort virtual-realityopname. Ik zou het je graag laten zien, maar ik vrees dat de Crimo's het signaal zullen oppikken.'

'Oké, laat het me later maar zien. Eén ding weet ik zeker en dat is dat ik méér wil weten.'

'Misschien weet je meer dan je denkt.'

'Wat bedoel je daarmee?'

'Ik moet de zapper hebben. Het apparaat dat door Agamon het Cranium wordt genoemd.'

'Die heb ik toch niet?'

'Maar misschien je vader wel. Het is mijn enige kans. Jouw vader heeft weken geleden paps bedreigd. Het kan me niet schelen wat je gelooft, maar jouw vader staat onder invloed van Tyranac, net als Skip nu. Ik ben er zeker van dat hij het is geweest die paps heeft vermoord én de zapper heeft gestolen.'

Dat was een bittere pil om te slikken. Matt zag aan Kirstens gezicht dat ze het niet geloofde. De gedachte maakte haar weer opstandig. De harde trek om haar mond keerde terug. Hij had nooit vermoed dat ze om haar vader gaf, maar nu Matt hem een moordenaar noemde, bleek het tegendeel. Kirsten was niet zo'n harde tante als ze zich voordeed. Een kreng of niet, ze was kwetsbaar, net als iedereen. Om haar te sussen zei hij: 'Hij is geen moordenaar, Kirsten, het is Tyranac. Hij manipuleert hem als een marionet. Waar het op aankomt is dat hij de zapper heeft gestolen en ik hoop dat hij zich ergens hier in huis bevindt.'

Kirsten schudde beslist haar hoofd. 'Denk eens na! Zelfs als je gelijk hebt, en ik zeg niet dat het zo is, dan kan ik nog niet geloven dat die zapper hier zou zijn. Dan heeft Tyranac hem. Die zapper is het enige wat hem kan bedreigen. Als ik in de plaats van Tyranac was, dan zorgde ik ervoor dat ik hem in handen kreeg en dan ging ik er zo lang op staan trappen tot hij helemaal stuk was.'

Gelukkig, dacht Matt, ben jij Tyranac *niet*. 'Misschien. Maar misschien is het voor Tyranac voldoende dat de zapper in handen is van zijn trawanten. Hoe dan ook, het kan geen kwaad om ernaar te zoeken. Als we niets vinden, dan laat ik je met rust.'

Ze zuchtte gefrustreerd. 'Goed. Even dan. Als die zapper ergens te vinden is, dan in zijn werkkamer. Kom op.'

Matt zette grote ogen op toen hij de overloop opliep. Het was hem al opgevallen dat Kirstens kamer zo groot was als de woonkamer van oma's huis. Het huis zelf zag eruit als een bescheiden kasteel. De overloop kwam uit op de enorme woonkamer, zodat er immense ruimte ontstond, wellicht zo groot als het hele huis waarin Matt was opgegroeid. Op de overloop, die als een hoekige U boven de woonkamer hing, telde Matt in totaal zes deuren. Kirsten legde met hem de hele U af, zodat ze bij de overliggende muur kwamen, en wilde de laatste van de zes deuren openen. Op slot. Dat verraste haar, want ze deed de kruk nog enkele keren op en neer. Blijkbaar was het niet de gewoonte dat Munte zijn werkkamer op slot deed. Kirsten staarde met een verbeten blik naar de vloer. Toen keek ze achterom. 'Wacht,' zei ze.

Ze stormde naar de trap, die aan beide kanten de U afsloot en liep naar de woonkamer. Ze verdween uit het zicht in een ander vertrek beneden. Er was even stilte, tot er plots een felle woordenwisseling ontstond tussen haar en een vrouw. Een ogenblik later verscheen Kirsten, met in haar kielzog haar moeder. Matt staarde meteen. Mevrouw Munte was de vrouw waar geen van de jongens op school de ogen van af kon houden als ze Kirsten naar school bracht. Haar borsten waren zo groot dat je dacht dat je ertussen kon vallen. En de rest was ook niet niks. Skip had eens een halfuur nodig gehad om te beschrijven hoe sexy hij haar vond. Het was Matt ook wel al opgevallen dat haar blik meestal triest stond, maar vandaag was ze woedend. Ze was niet snel genoeg om haar dochter bij te benen en dus schoot ze met woorden op haar. 'Kom hier met die sleutel! Je hebt daar niets te zoeken! Kirsten!' Ze stond onderaan de trap en rende met twee treden tegelijk naar boven, maar Kirsten was al bij Matt.

'Ik verbied je om daar naar binnen te gaan!'

Kirsten riep terug: 'Ach mens! Hou toch je kop!'

Mevrouw Munte werd op slag vuurrood en bleef bovenaan de trap staan. Het was alsof ze een slag in het gezicht had gekregen. Het was zonneklaar dat Kirsten geen bal respect voor haar had. Dat Mevrouw Munte geen enkele controle had over haar dochter. De klap kwam zo hard aan dat ze geen moeite meer deed om Kirsten in te halen en de sleutel terug te pakken.

'Kirsten!' was het enige dat ze nog kon zeggen.

Kirsten stak schouderophalend de sleutel in het slot en ging binnen. Ze deed de deur weer op slot zodra ze binnen waren. 'Dan kunnen we rustig kijken.'

Matt keek rond. De werkkamer was kleiner dan Kirstens slaapkamer. Eén lange muur en één brede werden in beslag genomen door boekenkasten. Die waren gevuld met honderden boeken en nog meer dossiermappen. Aan de andere lange muur, bij het raam, stond een werktafel met een computer, een telefoon en een heleboel paperassen. Een rechthoekige tafel met een maquette in het midden domineerde de kamer.

Kirsten keek hongerig rond, alsof ze niet wist waar ze moest beginnen.

Plotseling bonsde er iemand op de deur. Dat was het signaal voor Kirsten om uit de startblokken te schieten. Ze rende naar het bureau en trok een voor een de laden open. Buiten riep mevrouw Munte haar naam. Kirsten wuifde, als om te zeggen dat Matt er niet op moest letten.

'Je bent wel hard voor haar,' vond Matt, terwijl hij de boekenkasten begon te onderzoeken.

'Hard?' Hoe durfde Matt zoiets te zeggen? 'Ze is te stom om te helpen donderen. Ze heeft alleen een mooi lijf.'

'Dat kan zij toch niet helpen?'

'Moet je hem horen!' hoonde Kirsten. 'Typische jongenspraat. Omdat ze een lekker stuk is, kan ze niets fout doen. Als ze ros piekhaar had en honderd kilo woog, dan maakte je er geen woorden aan vuil. Maar omdat ze mooie lange haren heeft en benen tot achter haar oren, praat je al haar stommiteiten goed. Jongens denken écht na met dat ding ten zuiden van hun broeksriem!'

Matt voelde zijn wangen opgloeien. Kirsten had natuurlijk wel gelijk. Maar hij ook. Je kon niet kiezen hoe je eruitzag, en evenmin hoeveel kilo verstand je meekreeg. Hij had nog nooit een hekel aan iemand gehad omdat die dom of lelijk was.

'Niets in het bureau,' zei Kirsten.

Matt gaf het op bij de boekenkast. Als hij die er allemaal uit moest halen, was hij tot morgen zoet. Zoveel tijd hadden ze natuurlijk niet. Straks ging mevrouw Munte haar man bellen om te zeggen wat haar dochter aan het doen was en dan was alles om zeep. Want Munte kon contact opnemen met Tyranac en die kon op zijn beurt in een oogwenk Crimo's hierheen flitsen. Wanhopig keerde Matt zich om en keek naar de maquette. 'Wat is dat?'

Kirsten stond gebukt over de prullenmand. 'Hm? O, het Lazarusplan. Zo moet het eruitzien als het af is. Knap, hè?'

In elk geval knap groot. Het leek wel een dorp. Matt kon begrijpen dat Necroid hiervoor gevochten had. Het moest hun een enorme hoop geld opleveren. Maar dit was niet wat ze nu aan het bouwen waren in het Dodenbos.

Toen viel hem iets op. Het Dodenbos stond voor een deel op een heuvel, en die was hier door een glooiing weergeven. Op het hoogste punt lag de maquette daar twintig centimeter boven het tafelblad. Matt boog zich eroverheen en tikte met zijn hand op het plastic dat de grond voorstelde. Het boog lichtjes door. Hol. Hij zakte door zijn knieën en merkte dat de bodem van de maquette één geheel vormde. Hij vond de rand en tilde die op. De huisjes vielen om en tuimelden naar één kant van de tafel. Een tweetal braken uiteen op de grond. Maar Matt had gevonden wat hij zocht. In de holte onder de maquette lag de zapper waarvoor ze zijn vader hadden vermoord.

Een ogenblik lang staarde Kirsten verbijsterd naar het metalen object. Het zag er precies zo uit als Matt had beschreven. Wat deed het hier? Ze vond het steeds moeilijker om hem niet te geloven en dat ergerde haar. Wat hij haar wilde doen geloven, was onmogelijk, maar de feiten stapelden zich op. Ze griste de zapper woedend uit zijn handen om het te bekijken.

Haar moeder bonsde met aandrang op de deur. 'Kirsten! Kom nú uit die kamer of ik bel je vader op!'

Matt verstarde. Hij dacht snel na. Als zij Marcel Munte belde, dan wist Tyranac meteen ook waar Matt zich ophield. Hij kon zich inbeelden dat hij nu hoog op Tyranacs agenda stond. Dus zou Tyranac niet aarzelen om onmiddellijk zijn mannetjes hierheen te stralen, zoals daarstraks in de kerk. Het bonzen hield op. In gedachten zag Matt hoe de schoonheid daarbuiten het nummer van het mobieltje van haar man vormde.

'We moeten hier weg,' zei Matt.

'Hm?' Kirsten had er niets van gehoord. Ze draaide de zapper om en om en betastte hem aan alle kanten.

'Dit komt uit de ruïne van de oude kerk?' vroeg ze ongelovig.

'Ja. Het is honderden jaren bedolven geweest.'

'Dat kan niet. Dit is titanium. Dat bestond toen helemaal nog niet.'

'Hallo?' deed Matt geërgerd. Geloofde ze hem nog steeds niet? 'Het komt niet eens van deze planeet!'

Haar duimen gleden over de twee balkjes, die over de hele

lengte van de zapper liepen. Het ene was groen, het andere rood. Op beide zat een dunne knop. Vlot bewoog ze de groene knop op en neer. De rode kreeg ze niet ingeschakeld. 'Het is een apparaat.'

Dat wist Matt al langer. Hij pakte de zapper weer af en stopte hem in zijn zak. 'Het dient om die kerels uit te schakelen. Waarschijnlijk werkt het op die chip in hun hoofd. En nu moeten we hier als de bliksem weg! Als je moeder naar je vader belt, dan hebben we de poppen aan het dansen. We hebben geen seconde te verliezen.'

'Ik kan niet geloven dat die zapper na vijfhonderd jaar nog werkt!'

Matt haalde zijn schouders op. 'Waarom niet? Mijn oma heeft een radio uit de jaren dertig die nog werkt. En dit is gemaakt door een technologie waar wij nog niet van kunnen dromen. Trouwens, heb jij een beter idee?'

Kirsten zei niets. Ze was het niet gewend dat iemand haar met argumenten de mond wist te snoeren. Het leek haar dwars te zitten dat Matt het voor één keer wel kon. Of legde ze zich er gewoon bij neer? In elk geval draaide ze zich zonder een woord om en opende de deur. Haar moeder, die nog steeds aan de overkant van de overloop stond, klikte net haar telefoon uit en keek op. De vrouw keek tegelijk vernederd en kwaad. 'Nu heeft het lang genoeg geduurd. Ik ben je beu!' siste ze. 'Ik heb jou negen maanden gedragen, ik heb jarenlang geen nacht geslapen omdat jij als baby zo moeilijk was. Ik ben degene die je heeft opgevoed, niet je vader, want die had nooit de tijd – hij *wilde* zelfs geen tijd maken. En wat krijg ik nu? Je kijkt naar hem op en mij behandel je als een stuk vuil! Maar ik zal niet meer in de weg lopen. Ik heb je vader gebeld en hij zoekt maar uit wat hij met je moet.'

Met tranen in de ogen trippelde ze de trap af. Kirsten staarde haar even na. Drie hele seconden. Dat betekende vast dat ze aan de grond genageld was, dacht Matt. Hij kreeg medelijden met de mooie mevrouw Munte, terwijl er een gênante stilte viel. Het was vast de eerste keer dat Kirstens moeder zo tegen haar sprak. Beter laat dan nooit.

Even leek Kirsten in tweestrijd te staan. Ze wilde haar moeder achterna gaan,maar zoals gewoonlijk kwam spijt te laat. Ze hadden nu gevaarlijker katten te geselen. En haar eigen moeder had de katten in kwestie opgebeld. 'Kom op,' zei ze en ze liep in de richting van haar kamer.

Ze waren halfverwege toen in de woonkamer beneden drie Crimo's verschenen, inclusief vizier en witte mist.

'Goeie god,' stamelde Kirsten.

Matt wist dat hij snel moest handelen. Tot aan de deur van haar kamer, dat was nog enkele seconden. Genoeg tijd voor de Crimo's om Kirsten te manipuleren. Dat moest hij tot elke prijs voorkomen! Al was ze niemands beste vriendin, ze was de enige bondgenoot die hij nog overhad. Hij greep haar hand en sleurde haar achter zich aan. Hij hoopte dat het lichamelijke contact ervoor zou zorgen dat de kracht van de amulet ook haar kon beschermen. Hij keek naar beneden en zag dat de drie Crimo's tegelijk het gebaar maakten dat hij langzamerhand zo goed begon te kennen. Kirsten gaf geen krimp. Het werkte.

Ze doken de kamer in en sloten de deur. Mat gooide zijn rugzak op zijn schouders en greep de hopper. Hij schakelde hem in en sprong erop. Kirsten leek te aarzelen. 'Kom op!' spoorde hij haar aan. 'Ze komen de trap op!'

Kristen keek bedremmeld. 'Ik ... Ik heb hoogtevrees.'

Matt wist niet wat hij hoorde. Miss Einstein kende de geheimen van de kosmos, maar werd duizelig als ze op een stoel stond. Haar aarzeling koste hun de ontsnapping. De deur barstte open. De Crimo's namen natuurlijk niet de moeite om de deurknop te proberen. Een van hen beukte met hun massieve lichaam tegen de deur. Hij rolde de kamer in, gevolgd door de twee anderen. De golf van kou die hen vergezelde, verraste Matt al niet meer.

Opnieuw maakten de Crimo's het gebaar dat van Matt en Kirsten een willoze slaaf moest maken. Deze keer was Kirsten niet veilig. Onmiddellijk gilde ze het uit. Ze greep naar haar hoofd en viel op haar knieën. Ze schudde haar hoofd heen en weer en jammerde onverstaanbaar.

Matt was immuun voor hûn aanval dankzij de amulet, maar weerstond de aandrang om te vluchten. Hij wilde Kirsten niet achterlaten en besefte plots dat hij dat ook niet hoefde. Hij sprong weer van de hopper en viste de zapper uit zijn zak. Daar schrokken de Crimo's zo van dat ze alle drie tegelijk Kirsten met rust lieten. Het meisje viel hijgend op één arm en wreef versuft over haar hoofd. Matt drukte op de rode knop. Er gebeurde niets. Een grote angst viel als een emmer ijskoud water over hem heen. Wat als Kirsten gelijk had? Wat als de zapper na vijf eeuwen niet meer werkte. Wat als ze zich vergisten en dit de zapper helemaal niet was? Maar nee, de Crimo's waren er duidelijk bang voor. Zenuwachtig begon Matt met de groene knop te schuiven.

Zijn tegenstanders hadden intussen door dat ze Matt geestelijk niet konden overmeesteren. Dus besloot één van hen het anders aan te pakken. Hij sprong als een roofvogel op hem af.

Het was alsof Matt gevloerd werd door een blok ijskoud beton. Hij voelde hoe de adem uit zijn longen werd geklopt, terwijl hij op de grond viel. De zapper vloog uit zijn handen. Matt keek ernaar. Hij lag amper een meter ver, maar hij had net zo goed aan de andere kant van de zon kunnen liggen. Met die buitenaardse massa op zijn rug was hij even hulpeloos als een geprikte vlinder in een insectenverzameling. Hij kon nauwelijks ademhalen. De Crimo had handen van ijs, waarmee hij die van Matt geoefend achter zijn rug in bedwang hield. Toen hij Matt eenmaal onder controle had, begon hij zijn nek af te zoeken naar de ketting rond de amulet. Hij vond het al snel en gaf er een fikse ruk aan. Dat deed pijn, maar de ketting brak niet. Als hij dat nog een keer doet, dacht Matt, breekt hij mijn nek. De Crimo gromde en verstevigde zijn greep. Matt zette zich schrap.

Maar de Crimo deed niets meer. Hij zuchtte en viel als een zak aardappelen opzij. Matt wist niet wat er gebeurd was, maar hij zat onder de dikkerd gevangen met zijn benen en worstelde zich kreunend vrij. Hij sprong op om de beide andere Crimo's te lijf te gaan. Dat bleek niet nodig. Ze waren in slaap gevallen op de vloer. De enige die overeind stond was Kirsten. Ze had de zapper in haar hand. Ze lachte als een kleuter die net heeft geleerd dat ze het licht kan aandoen door op een knop te duwen. 'Hij werkt echt nog!' zei ze.

'Hoe dan?' wilde Matt weten. 'Ik heb het ook geprobeerd.'

Met een gebaar legde ze hem het zwijgen op. 'De groene knop regelt het bereik van de zapper, de rode moet je gewoon indrukken. Het is de aan en uit knop. Jij had het bereik niet groot genoeg gemaakt.' Ze gebaarde naar de Crimo's. 'Ik vraag me af hoe lang het werkt.'

'Net zo lang tot we de knop weer indrukken.

'Proberen?' Ze wachtte niet op zijn antwoord en drukte de rode knop in. Als robotjes die je aan en uit zette, richtten de Crimo's langzaam hun hoofd op. Kirsten drukte opnieuw op de knop en ze zegen weer in elkaar. 'Handig,' zei ze.

Matt knikte. 'We moeten maken dat we hier wegkomen.'

'Dat ben ik met je eens. Hoogtevrees of niet.' Deze keer sprong ze resoluut achter Matt op de hopper en pakte hem stevig vast.

'In elk geval,' zei hij, 'bedankt. Zonder jou hadden ze me te grazen.'

'Jij hebt me toch ook niet in de steek gelaten?'

Matt antwoordde niet en stuurde de hopper naar buiten.

Ze stopten even in het kasteel om hun moed bijeen te rapen. Esso begroette hen met een geeuw en kauwde rustig verder op een enorm bot, dat wellicht ooit van een koe was geweest. Ze plunderden Archibalds koelkast en aten brood, cervelaatworst en melk. Culinair scoorde Archibald niet al te indrukwekkend. Tijdens de karige maaltijd waren ze stil. Ze wisten dat ze naar het Dodenbos moesten. Ze wisten zelfs dat treuzelen uit den boze was. Want hoe lang zou het duren voor de Crimo's ook hier uit het niets verschenen? Matt geloofde nu niet langer dat de hopper een transponder had. Dan waren Tyranacs trawanten al opgedoken. Maar zelfs dan was het onvoorzichtig om hier lang te blijven. Tyranac zou niet rusten voor Matt ook een van zijn schapen zou zijn. Hij zou ook snel uitvissen dat het kasteel één van zijn mogelijke schuilplaatsen was.

Plotseling zei Kirsten: 'Ik ben een idioot.'

Dat was genoeg om Matt wakker te schudden. Kirsten die beweerde dat ze een idioot was, dat was een primeur. 'Wat zeg je daar?'

'Mams heeft gelijk. Ik heb haar nooit zien staan. Ik vond dat ze een trut was, omdat haar IQ het nulpunt nabij was. Maar hoe achterlijk moet je zijn om te geloven dat de waarde van een mens alleen gemeten wordt door het vermogen van zijn brein?'

Of de cup van haar beha, dacht Matt. 'Fijn dat je daar eindelijk achtergekomen bent. De scherven vallen vast nog te lijmen. Alleen vind ik je timing beroerd. Tyranacs Crimo's zitten ons achterna en Tyranac zelf zit over het einde van Kempier te broeden. Vijfhonderd jaar geleden slaagde alleen pastoor Sevinge erin om Tyranacs waanzin te stoppen. Nu is het aan ons om hem uit te schakelen. Snap je dat, Kirsten? Als wij die lui niet terug naar hun cellen zappen, dan lopen ze Kempier onder de voet, en dat is nog maar het begin. Je moeder zal moeten wachten op je spijtbetuigenis. Er is werk aan de winkel.'

Kirsten knikte. 'Ik weet het. Maar ik ben bang.'

Matt grijnsde. 'En ik maar denken dat ik de enige was. Je bent wel in een toegeeflijke bui, hè? Kan ik daar op een of andere manier geen misbruik van maken?'

'Als je het aan iemand doorvertelt, dan bewerk ik jou met de zapper!' zei Kirsten koud, maar hij zag de vrolijke twinkeling in haar ogen.

Ze sprong op. 'Maar je hebt gelijk. We moeten gaan, voor die kerels hier ook naar binnen springen. Wat ik niet begrijp is dat Tyranac niet gewoon naar buiten komt. Hij kan toch iedereen die hij ontmoet onder controle brengen?'

Matt haalde zijn schouders op. 'Zijn krachten zijn beperkt. Ik heb hem horen zeggen dat hij er bijna geen meer over had. Misschien kan hij maar vijf of tien mensen tegelijk onder controle houden.'

'Niet genoeg om mee naar buiten te komen. Zelfs niet als je alle Crimo's bij elkaar optelt.'

'Nee. Maar de Nucleus werkt als een soort versterker. En als die werkt, dan is zijn kracht zowat onbeperkt. Ze willen dat hier binnenkort op Kempier testen.'

Kirsten keek toe terwijl Matt de hopper pakte. 'Waar heb jij geleerd dat ding te besturen?'

'Nergens. Het ging vanzelf. Ik snap het ook niet. Aangeboren aanleg, zeker. Het moeten niet altijd dezelfden zijn die ergens goed in zijn.' Hij startte de hopper. 'Het is nu de vraag: hoe gaan we de Crimo's te lijf? Hoe gaan we het Dodenbos binnen?'

'Niet langs de voordeur,' zei Kirsten. 'En we gaan hen niet te lijf. Dat is zinloos.' Onmiddellijk sloeg ze weer een belerend toontje aan, alsof ze erop wilde wijzen dat zij en niemand anders hier de leiding had. 'We moeten hun zwakke plek zoeken. Die heeft iedereen. De Crimo's zijn geen uitzondering.'

'Dat zeg jij. En áls ze al een zwakke plek hebben, dan zijn wij misschien te stom om ze te ontdekken.'

'Spreek voor jezelf,' bitste Kirsten.

'Óf we zijn te zwak om ze te kunnen uitbuiten. Hoe dan ook, we móéten erheen. Ik had het idee om naar de politie te gaan, maar dat wees Archibald van de hand.'

'Verstandig van hem. De politie staat even machteloos tegenover hun krachten, en wij weten bovendien al veel meer over Tyranac en zijn bende. Archibald heeft gelijk. We moeten het zelf doen.'

De zon ging onder toen Matt weer het luchtruim koos. Kirsten stond achter hem op de vliegplaat. Ze had haar armen krampachtig om hem heen geslagen en drukte zich tegen hem aan alsof ze stapelgek op hem was. Dat deed ze natuurlijk alleen maar omdat ze hoogtevrees had. Ze kneep haar ogen vast stijf dicht. Matt was al wel eens in stilte verliefd geweest, maar hij had nog nooit een vriendinnetje gehad en Kirsten was wel de laatste die in aanmerking kwam, dacht hij. Maar nu ze had laten zien dat ze ook maar een mens was, vond hij het helemaal niet onprettig dat ze zich zo aan hem vastklampte.

Ze naderden het Dodenbos vanuit het oosten, en landden

in een deel van het bos zonder wandelpaden, maar vol kreupelhout en struikgewas. Hoe kon je ongezien naderen, hadden ze zich hardop afgevraagd. Een aanval van deze kant vonden de Crimo's vast onwaarschijnlijk, wegens het onbegaanbare terrein. Het was niet meer dan een gok. Want natuurlijk moesten ze nog over de omheining heen. Daar stond elektronische bewaking op, maar werkte die ook? Matt hoopte van niet.

IJdele hoop. In de verte werd het duister van Tyranacs kamp net zichtbaar, toen enkele schimmen zich tussen de bomen door begonnen te bewegen. Hoppers, of erger. Matt telde er minstens vier en het was best mogelijk dat er nog meer waren.

Matt week niet van zijn koers af. 'Kirsten! De zapper! Ze komen op ons af!'

Hij merkte dat één arm zich nog harder om zijn ribben klemde, terwijl de andere hand zich losmaakte en in zijn rugzak begon te voelen. Een ogenblik later kwam de hand terug. Kirsten drukte blindelings de rode knop in. Daarna verschoof ze de groene knop.

Eén van de Crimo's slaagde erin een dondervuist af te vuren. Die velde alleen een pezige tak aan een knoestige boom. Daarna viel de Crimo plots van zijn hopper en verdween met een plof in het struikgewas. De hopper ging in een boog achter hem aan. Een tweede Crimo kwam geïnteresseerd dichterbij en onderging hetzelfde lot.

Matt besefte zijn fout te laat. Hij had net zo goed met een toeter zijn komst kunnen aankondigen. Het bereik van de zapper was beperkt en nu gaf hij de overblijvende hoppers de kans om alarm te slaan. Daarvoor hadden de Crimo's geen stem nodig en ook geen radio. Ze deden het mentaal. De stem van hun geest zocht contact met Tyranac en deed haarfijn uit de doeken wat er aan de hand was.

Matt slalomde tussen de dicht opeengepakte bomen als een volleerde skiër en haalde de Crimo's zienderogen in. De eerste kwam al snel binnen het bereik van de zapper en verloor het bewustzijn in volle vlucht. Hij belandde in een wilde braambessenstruik. Auw, dacht Matt, terwijl hij op de laatste van de Crimo's aanstuurde. Die begon in paniek te raken, want hij merkte dat zijn achtervolger veel behendiger was met de hopper dan hij. Hij draaide zich om en velde een boom met een slecht gemikte dondervuist. Matt schoot over de vallende stam heen en dook als een valk op zijn prooi af. De zapper schakelde hem uit.

Matt remde af en nam de tijd om rond te kijken. Geen hoppers meer. Dat betekende natuurlijk niet dat ze veilig waren. Misschien was Tyranac op dit eigenste ogenblik een valstrik aan het spannen. Was het verstandig om even af te wachten? Of moest hij juist zo snel mogelijk toeslaan? Hij koos voor een compromis, en gleed traag in de richting van Tyranacs kamp. De duisternis en de kou sloten zich langzaam om hen heen. Matt probeerde zich te oriënteren, want hij wilde achter het paviljoen belanden waar hij Skip had achtergelaten. Hij moest daartoe voortdurend bijsturen. Hoppers zag hij niet meer. Het bleef onheilspellend stil. Toch had hij het gevoel dat ze hen in de gaten hielden, de Crimo's. Ze wisten precies waar hij was en wie hij was.

Matt schudde met zijn hoofd. Hij begon die sombere gedachten flink beu te worden. Hij kon nu toch niet het hazenpad kiezen? Zelfs als ze wisten dat hij eraan kwam, had dat geen zin. Ze zouden hem gewoon achtervolgen. De hele horde.

Eindelijk kwam het paviljoen in zicht. Hij ontwaarde in de schemering ook de Nucleus, die nog steeds siste en stompte als een mechanisch monster. Hij merkte dat Kirsten haar lichaam verschoof, zodat ze over zijn schouder kon kijken. Hij voelde haar verbijstering. Ze stamelde zelfs. 'Dit kán toch helemaal niet! Hoe kan het hier zo donker zijn en zo koud?'

'Geen idee, maar het is wel zo.'

Maar Kirstens geest schakelde al in de hoogste versnelling en verzon verklaringen: 'Je zei toch dat de Nucleus het hart is van de hele operatie? Fabriek, versterker van Tyranacs krachten, energiecentrale, weet ik veel wat nog allemaal? Ongetwijfeld leggen ze van daaruit een soort isolerend veld over het bos. Het houdt het licht en de warmte buiten.' Ze wees naar de bomen om haar heen. 'De bomen verliezen hun bladeren, zie je dat?'

Matt vroeg zich af waarom hij dat niet eerder had gezien. Het was waar: in het midden van juli was het herfst in het centrum van het Dodenbos. Verstoken van licht en warmte konden de bomen geen groene bladeren meer maken. Dus verkleurden ze en stierven af.

'Ik begrijp alleen niet waar die kou en die duisternis vandaan komen.'

'Ze bootsen natuurlijk het milieu van hun eigen wereld na. Je zei toch dat de Crimo's afkomstig zijn van een planeet die om een rode dwerg draait?'

'Dat zei Agamon, ja. Maar daar begrijp ik niets van.'

'Er zijn allerlei soorten sterren, Matt. Sommige zijn reuzensterren, vele miljoenen keren groter dan onze zon. Die sterren leven meestal niet zo lang. Enkele honderden miljoenen jaren. De kleinere sterren leven langer, omdat ze zuiniger met hun brandstof omspringen. Onze zon is een gele dwergster. Maar de zon geeft behoorlijk wat licht en warmte. Rode dwergen doen dat niet. Ze bestaan heel lang, vele miljarden jaren, maar ze geven heel weinig licht en warmte.'

'Met andere woorden, dit is de temperatuur en het licht waaraan de Crimo's gewend zijn,' besloot Matt. 'Daarom dragen ze een vizier als ze het Dodenbos verlaten. Ze kunnen niet tegen het licht.' Hij dacht terug aan Mordoran en aan de manier waarop hij tegen twee andere hoppers was gebotst. Toen dacht hij dat de kerel de hoppers met opzet had geramd. Nu besefte hij dat Mordoran misschien verblind was geweest.

'En van de temperatuur hebben ze vast ook last. Vijfhonderd jaar geleden was dat niet zo. Volgens Archibald kwamen ze hier in de winter terecht. Geen tekort aan donker en kou.'

'En dankzij de technologie de wij nu hebben, kunnen ze hun eigen airconditioning bouwen, hè?'

Matt stopte achter het paviljoen. Rondom de put en de Nucleus waren de Crimo's druk in de weer, maar ze schonken geen aandacht aan Matt en Kirsten. Zagen ze hen niet of wilden ze hen niet zien?

'Zie je Skip?' vroeg Matt, zelf aandachtig turend.

Kirsten schudde het hoofd.

'Misschien is hij nog binnen.' Matt vroeg zich af wie hij zou moeten uitschakelen om Skip te bevrijden. Tyranac zelf?

Daar had je dat voorgevoel weer: dat griezelige inzicht waarvan zijn nekharen overeind gingen staan. Met een ruk keerde Matt zich om. Zijn intuïtie had hem niet bedrogen. Hij zag nog net het wildbehaarde hoofd van een Crimo wegduiken achter een boom. 'De zapper!' fluisterde Matt. 'Snel!'

Kirsten drukte op de knop. Het massieve lichaam van de Crimo zakte in elkaar en belandde languit naast zijn schuilplaats. Matt keek Kirsten bedrukt aan. Hier was iets flink loos. Waarom had die vent zich verborgen? Waarom had hij niet aangevallen? Hij had alle tijd gehad om rustig te mikken en Matt te raken met die enge energieflitsen. Het lag voor de hand: Tyranac wist dat ze hier waren en hij wilde hen levend in handen krijgen. Misschien omdat Marcel Munte niet wilde dat zijn dochter verast werd?

'We moeten hier weg,' zei Matt.

'Weg? We zijn hier net?'

'Het is een valstrik. Dat moet wel!'

Opnieuw gleed er een rilling over zijn ruggengraat. Hij keek omhoog. Hij zag de hoppers en het net, hoog boven hen in de bomen. Het net, aan de hoeken verzwaard, kwam als een parachute omlaag, terwijl de hoppers zich omkeerden en weg zoefden.

Matt en Kirsten stoven uit elkaar om het net te ontwijken. Dat ging gemakkelijk. Het net viel langzaam. Matt besefte meteen dat het net niet bedoeld was om hen te vangen, maar om hen uit elkaar te drijven. Maar toen was het al te laat. Er gaapte in een mum van tijd een ruimte van twintig meter tussen hen. Tegelijkertijd kwamen de Crimo's als duveltjes uit het struikgewas. Ze waren overal. Matt verstarde. Het waren er twintig of meer. De hopper lag buiten zijn bereik. Een Crimo op het dak van het paviljoen sprong naar beneden en sneed hem de pas af naar de vliegplaat.

Matt weigerde het op te geven. Er stond een boom tussen hem en de dichtstbijzijnde Crimo. Hij sprong met gemak op de laagste tak en wist zich in een mum van tijd vier, vijf meter hoog te werken. De Crimo probeerde hem te volgen, maar de tak brak onder zijn gewicht. Matt keek koortsachtig rond. Hij hoorde Kirsten gillen. Hij zag haar niet, want ze bevond zich achter de hoek van het paviljoen. Was ze in gevecht met de Crimo's? Hij zag her en der enkele van die kolossen op de vochtige bosgrond liggen, uitgeschakeld door haar zapper. Maar er waren er nog meer, die van buiten het bereik van de zapper kwamen.

'Matt, help me!' Kirstens klaaglijke kreet drong trillend tot hem door. De onderkoelde toon die hij van haar gewend was had plaats geruimd voor doodsangst. Was ze de zapper kwijt? Dan was alles verloren. Toch vertikte hij het om zich gewonnen te geven. Hij keek om zich heen. Van boom tot boom springen was uitgesloten. In de kruinen, misschien, maar daar waren de takken te dun. Het dak van het paviljoen was dat niet. Matt zette zich beslist af en landde met een zucht op het paviljoen. Het materiaal was even soepel als de vloerbekleding binnen. Hij boog door zijn knieën om zijn val op te vangen, maar veerde onmiddellijk overeind om op het geluid van Kirstens schreeuw af te hollen. Op de rand van het dak stopte hij. Onder zich zag hij Kirsten, die in de greep was van twee reusachtige Crimo's. Zonder nadenken sprong hij naar beneden. Hij landde op de rug van een van de giganten. De kerel knalde tegen zijn maat aan en beiden rolden ze met verbazend gemak kreunend over de grond. Ofwel waren die kerels kneusjes, ofwel speelden ze komedie. Matt dacht er niet over na, want Kirsten lag voor hem op de grond, haar gezicht vertrokken van pijn en beide handen om een scheenbeen. De zapper was nergens te bespeuren.

'Gebroken,' zei ze. 'Help me!'

Hij knielde naast haar. Hij moest haar naar de hopper krijgen om te ontsnappen. Ze legde beide handen om zijn nek, zodat hij zijn ene hand onder haar knieën kon laten glijden en de andere onder haar schouders. Of hij haar kon optillen wist hij niet, maar hij moest het proberen. Hij merkte nauwelijks dat haar hand onder zijn T-shirt gleed en toen het tot hem doordrong was het te laat. In één vlotte beweging greep ze de ketting en haalde de amulet van zijn nek af. Ze sprong overeind, ongedeerd. Zonder ze zelf aan te raken slingerde ze de amulet rond en rond, alsof het een lasso was. Plots liet ze het ding schieten en het vloog ver weg, het bos in. Glimlachend draaide ze zich om naar Matt. 'Welkom bij Tyranac,' zei ze.

Matt vervloekte zijn eigen domheid. Natuurlijk hadden ze onmiddellijk haar geest overgenomen toen ze van hem gescheiden was. Vanaf dat moment was alles één grote komedie geweest: haar kreet om hulp, haar vechtpartij met de Crimo's. En nu was hij zelf onbeschermd. Een diepe verslagenheid maakte hem loom. Hij had gefaald. En op de hele wereld was er niemand anders meer die de Crimo's nu nog kon tegenhouden.

Een van de Crimo's greep hem vast en tilde hem op alsof hij een pop was. Hij hield Matts gezicht vlak bij het zijne. Matt herkende de grijs gevlekte stoppelbaard, de gekartelde tanden, het litteken op de bovenlip, het verdwenen linkeroog. En de stinkende adem, dacht Matt. Hoe is het mogelijk: ze kunnen tussen de sterren reizen, maar tandpasta kennen ze niet!

'En nu wij, vriend,' zei Mordoran tevreden. Hij hield zijn hoofd een beetje schuin en grijnsde zijn bruine tanden bloot. 'Weet je, ik heb nog nooit zoveel lol gehad als die keer toen ik je lieve papa mocht vermoorden. Een echt speelgoedje was hij! Je beseft toch dat ik geen keuze had? Hij had me gehoord. Hij zag me en toen ... Toen moest ik wel. Ik probeerde zijn geest over te nemen, maar dat lukte niet. Heel vreemd was dat.' Mordoran fronste plots zijn wenkbrauwen. 'Dat snap ik nog steeds niet. Ik vraag me af of het bij jou wel lukt.' Hij haalde zijn schouders op. 'Het doet er niet toe. Ik moest hem afmaken omdat hij ons anders kon verraden! Ik heb in geen eeuwen zoveel plezier gemaakt. En spartelen dat hij deed, als een speenvarken voor de slacht! Smeken ook, om te mogen blijven leven. Na wat je mij vanochtend hebt gelapt zou ik met jou liefst hetzelfde doen. En onthou het goed: dat doe ik ook nog wel. Maar nu nog niet. Tyranac denkt dat hij je nog kan gebruiken. Maar wacht tot straks, tot na vannacht. Dan hebben we mensen genoeg. En dan – hop!' Hij knipte met zijn vingers. 'Dood.'

Matt was verrast door de haat die in zijn borst opwelde. Dit was de moordenaar van zijn vader en hij hing machteloos in zijn greep. Woedend probeerde hij te slaan, maar Mordoran hield hem met gemak van zich af en liet hem begaan, terwijl hij hem uitlachte. Na enkele minuten staakte Matt hijgend de strijd en vond zichzelf een stomkop. Hij had Mordoran dat pretje nooit mogen gunnen.

Dat was zijn laatste zelfstandige gedachte, voor de Crimo zijn geest overnam.

Overal rondom hen stonden nu Crimo's en mensen die onder hun invloed stonden. Het was een klein leger. Marcel Munte stond ongemerkt op de achterste rij. Dat zijn dochter gevangen was genomen, deerde hem blijkbaar niet. De amulet die ze weggegooid had, was voor zijn voeten beland en dat interesseerde hem wel. Hij wist dat Tyranac het zou willen hebben. Daarom bukte hij zich en raapte het op.

Had Matts zin voor humor standgehouden, dan zou hij er achteraf om gelachen hebben. Nu wist hij dat de drie Crimo's ten huize Munte alarm geslagen hadden, nog voor Kirsten hen uitschakelde. Tyranac wist al een uur op voorhand dat hij zou worden aangevallen. Hij had dus alle tijd gehad om zich voor te bereiden. Hij en Kirsten hadden nooit enige kans gemaakt. Paps zou meewarig het hoofd geschud hebben. Hoe kon je zo dom zijn?

Mordoran had zijn wil snel gebroken. Matt had zich nauwelijks verzet. Hij was verslagen en zijn geest een eenvoudige prooi. Nadat hij in Mordorans macht was, vroeg de lelijke Crimo: 'Heb je een gsm?'

Matt antwoordde naar waarheid: 'Nee.' Hij vroeg niet waarom Mordoran dat wilde weten, ook niet toen de monsterlijke man zijn vraag herhaalde voor Kirsten. Het meisje knikte en overhandigde een knalrood mobieltje. Mordoran gromde tevreden, gooide de telefoon op de grond en vermorzelde hem onder zijn voet. In een hoekje van zijn hoofd vroeg Matt zich wel af waarom de Crimo een hekel had aan gsm's. En hij herinnerde zich de opmerking van Skip gisteren. De vermomde Crimo's hadden toen een gsm uit hun zak gediept en gedreigd de politie te bellen. Skip beweerde toen dat het speelgoedmobieltjes waren. Blijkbaar gingen Crimo's en gsm's niet samen. Waarom niet, dat zou de oude Matt een interessante vraag gevonden hebben, maar de nieuwe Matt stelde het alleen maar vast.

Want Matt kon zich geen eigen mening meer vormen. Hij

had zich nog nooit zo vredig gevoeld. Hij zat in het paviljoen naast Kirsten en Skip en nam nog een slok van de romige vloeistof die hij diezelfde morgen al had gezien. Het was een drug die je geestelijke weerstand verzwakte, zodat Tyranacs greep op zijn gevangenen niet kon verslappen. Matt wist dat, maar kon zich er niet tegen verzetten. Dat wilde hij zelfs niet.

Hij vond het vreemd. Toch was hij nog steeds Matt. Met alle herinneringen en gedachten. Alleen zijn wilskracht had plaats gemaakt voor die van Tyranac. Hij wilde Tyranac niet meer onschadelijk maken. Hij wilde niet meer naar huis. Het kon hem niet schelen wat er met Skip gebeurde, of met Kirsten. En het was zonneklaar dat die twee ook niet meer om hem gaven. Ze gunden hem geen blik.

Tyranac betrad het paviljoen en gaf hen een goedkeurende blik. Hij had zijn slag geslagen, de dreiging bedwongen. Tijd om zijn plan weer op het goede spoor te zetten. De barak liep aardig vol. De Crimo's waren met een stuk of dertig. Als je niet dichtbij komt, dacht Matt, lijken ze allemaal op elkaar. Maar dat vinden ze vast ook van ons, mensen. Ze waren allemaal even groot en breed en even langharig. Met uitzondering van de drie die de toegang naar het Dodenbos in de gaten hielden. Die waren netjes geschoren om geen argwaan te wekken bij toevallige wandelaars. Er waren ongeveer evenveel mensen als Crimo's. De meesten waren werknemers van Necroid.

Matt keek plots naar Tyranac. Hij merkte dat alle anderen hetzelfde deden. Ze hadden allemaal dezelfde impuls gekregen en wisten dat Tyranac hen zou toespreken. Hij hoefde zijn keel niet te schrapen of met een mes tegen een glas te tikken. 'De tijd is rijp!' zei Tyranac verheugd. De Crimo's begonnen opgewonden te roezemoezen, maar de mensen bleven dof naar Tyranac kijken.

De Crimoleider ging verder: 'Jullie weten allemaal dat we uiteindelijk terug willen naar de Sterrenwereld. Maar zover is het nog lang niet. Om dat te doen hebben we de hulp nodig van de machtigste mensen van deze planeet. Met hun geld en invloed zullen we erin slagen om een ruimteschip te bouwen voor onze terugreis. De technologie bestaat hier nog niet, maar met de aardse technologie én onze kennis zal het ons lukken. We hebben tenslotte toch ook de Nucleus gebouwd, dankzij de hulp van onze goede vriend Marcel Munte!'

Matt keek naar Munte, die met een uitdrukkingsloos gezicht tussen enkele Crimo's stond. Even verderop stond ook Archibald.

'De Nucleus staat tot een schip als een cel tot een mens. Maar elke reis heeft een eerste stap. Die eerste stap zetten we de volgende nacht!' De Crimo's werden nog meer opgewonden, en Matt merkte dat er zich een vreemde onrust van hem meester maakte. Ook Skip begon ongemakkelijk heen en weer te schuiven op zijn stoel en Kirstens handen trilden om haar mok.

'Na middernacht trekt er een onweer over de streek,' zei Tyranac. 'Het is een koufront. Daarachter zit dus frisse lucht. De temperatuur zal zakken tot onder de vijftien graden. De maan staat in haar eerste kwartier. Met andere woorden: de omstandigheden zijn ideaal om Kempier binnen te vallen. Iedere bewoner moet in onze macht komen. Dankzij de Nucleus kunnen we dat. Na het schild is dit de eerste belangrijke test voor de Nucleus. Luister. Dit is het plan.'

Matt luisterde aandachtig. Tyranac had alles als een secure

militaire operatie uitgewerkt. Er kon niets mislopen. Toen Tyranac zijn betoog staakte, juichten de Crimo's elkaar toe. Een rilling van plezier liep over Matts rug, maar hij wist dat het niet uit zijn hart kwam. Op bevel van Tyranac begaf iedereen zich naar een ander paviljoen, om nog enkele uren te kunnen rusten tot de laatste voorbereidingen begonnen. Marcel Munte gidste hem met een strak gezicht en korte bevelen naar een nis in een van de paviljoenen, die geheel kon worden afgesloten. Hij kwam in een kale, rechthoekige cel terecht met twee stapelbedden. Britsen eigenlijk, want van enig comfort was geen sprake. Het was hier warmer dan in het andere paviljoen, alsof de Crimo's de temperatuur hadden aangepast aan de noden van hun menselijke gevangen. Kirsten legde zich op de bovenste brits, terwijl Skip zich onderaan nestelde. Matt ging tegenover hem liggen en het was Marcel Munte zelf die op de brits boven hem plaats nam. Ze spraken geen woord.

De buitendeur vouwde zichzelf dicht en een zachte duisternis sloot zich om hen. Het directe contact tussen zijn geest en die van de Crimo's deemsterde weg. Er bleef alleen een soort klem die elke persoonlijke gedachte weer onderdrukte en hem in bedwang hield. Hij besefte dat alleen de amulet hem kon bevrijden.

Enkele minuten lang bleef het merkwaardig stil in de slaapcel. Toen hoorde Matt gestommel op de brits boven hem. Een paar benen zwaaide over de rand en Marcel Munte sprong naar beneden. Matt vond dat vreemd. Had hij een bevel gekregen? Zelf had hij niets gehoord.

Kirsten was blijkbaar ook verrast, want ze keek opzij naar haar vader. Verder bewoog ze zich niet. Munte boog zich naar haar toe en liet zijn hand in de hare glijden. Op slag kneep ze de ogen even dicht, alsof ze een scheut van tandpijn voelde. Toen ontspande haar gezicht en met een gezicht vol verbazing keek ze haar vader aan. 'Papa!'

Munte glimlachte even en legde toen zijn vinger op zijn lippen. Wat was hier aan de hand? Die twee gedroegen zich plots wel érg vreemd. Kirsten sprong nu ook van de brits. Haar vader hurkte bij Skip en greep zijn hand. Ook bij Skip volgde die verkramping van het gezicht en dan die grote ogen. Toen begreep Matt plotseling wat er gaande was. Mechanisch opende hij zijn mond om alarm te slaan, maar Munte was hem voor. Hij legde zijn hand op Matts voorhoofd en de betovering werd verbroken in een flits van pijn. Het duurde maar een ogenblik. Toen was hij weer die oude Matt, die hier zo snel mogelijk weg wilde om de Crimo's alsnog te verslaan.

'Papa ...' begon Kirsten. 'Hoe?'

Munte glimlachte. Hij viste de amulet uit zijn zak en liet het als een hypnotiseur voor haar ogen heen en weer bengelen. 'Toen jij dit weggooide, stond ik toevallig op de juiste plaats. Ik raapte het op, omdat ik dacht dat Tyranac het wilde hebben en toen gebeurde het.' Hij knipte met de vingers. 'De klem op mijn geest was verdwenen. Zomaar.'

Skip sloeg Matt als groet op de schouder. 'Matt, kerel, je weet niet hoe blij ik ben je te zien, maar we moeten hier weg! We moeten de politie waarschuwen! Het leger. De ...'

'Rustig maar,' zei Munte. 'Je hebt gelijk, maar het stikt daarbuiten van de lui die het niet goed met ons voorhebben.'

'Als ik een hopper kan bemachtigen,' beloofde Matt, 'dan kom ik hier weg ook.'

Munte glimlachte. 'Ja, dat heb ik gehoord. Tyranac zei dat je vloog als de beste hopperracers. Die hoppers worden op hun werelden veel gebruikt, weet je. Zo'n beetje als wij een fiets gebruiken. Er worden ook allerlei sporten en races mee gehouden. Tyranac zei dat je daar geen slecht figuur zou slaan.'

Matt trok een grimas. Een compliment van zijn vijand, daar zat hij niet op te wachten. 'Probleem is wel dat ik geen hopper héb.'

Marcel Munte schudde zijn hoofd. 'Nee, maar ik heb wel iets anders. Iets beters.' Uit zijn zak diepte hij een kleine cilinder zonder boven- of onderkant. Het was uit een licht materiaal gemaakt. Er zat een schermpje op en enkele lijnen, knoppen en symbolen die Matt deden denken aan de zapper. Vast door dezelfde fabrikant gemaakt. Munte raakte een sluiting aan en de cilinder scharnierde open.

Kirsten knipte met de vingers. 'Laat me raden,' zei ze. 'Dat is een teleportatietoestel.'

Munte knikte zijn dochter goedkeurend toe, maar Skip en Matt keken elkaar stomverbaasd aan. 'En nu in het Nederlands?' zei Skip.

Kirsten zei: 'Die lui verdwijnen en verschijnen waar en wanneer ze willen. Jullie hebben dat gezien toen jullie voor het eerst het Dodenbos binnen wandelden. Opeens vielen die gasten letterlijk uit de lucht! Je zei dat je hen hebt zien verschijnen in de kerk, je hebt er één zien verdwijnen bij het kasteel en wij hebben allebei gezien hoe die Crimo's plotseling in onze woonkamer stonden. Dit verklaart hoe ze het doen. Ze transporteren. Hun lichaam wordt op een of andere manier van de ene plaats naar de andere geflitst. Geen idee hoe het werkt. Misschien worden ze atoom voor atoom uit elkaar gepulkt en ergens anders weer in elkaar gezet. Misschien stappen ze door een dimensie die wij nog niet kennen. Ik weet het niet, maar ik heb onlangs iets gelezen over iemand die een proef had gedaan om te bewijzen dat teleportatie in principe kan werken. Hij had het gedaan met een lichtdeeltje. Een hele mens teleporteren, dat is natuurlijk andere koek. Maar in de Sterrenwereld zijn ze al duizend jaar verder.'

Munte zei: 'Je draagt het als een armband. Je klikt hem om je pols en dan regel je de plaats waar je naartoe wilt op dit schermpje. Daarna activeer je de armband.'

Munte gaf het toestel aan Matt, die het even in zijn hand woog. Het was vederlicht. Het leek op een stuk speelgoed. Munte zei: 'Eén van ons moet het ding activeren. Het transporteert de drager en iedereen die de drager aanraakt.' Munte keek Matt indringend aan. 'Dit toestel heeft Mordoran gebruikt die avond dat hij … die avond dat hij je vader heeft vermoord.'

'Mordoran!' siste Matt.

'Het spijt me,' zei Munte. 'Het is verschrikkelijk wat we gedaan hebben. Jouw vader, mijn medewerkers, nog enkele anderen. Tyranac stopt voor niets of niemand! Maar aan de dood van je vader heb ik de meeste schuld. Ik wist van Herbert Kuyken dat hij de zapper had, het toestel waarmee je de chip in het hoofd van de Crimo's kunt uitschakelen. Natuurlijk hadden we er geen idee van waar het ding voor diende, maar Tyranac wist het meteen. Voor Herbert had hij geen interesse, want die bezat alleen echt middeleeuwse stukken uit de oude kerk van Kempier. Tyranac stuurde mij erop uit met Mordoran. Hij is een monster. Hij geniet van geweld.' Munte huiverde, terwijl hij sprak. Hij leek helemaal niet meer op de willoze slaaf van daarstraks, maar ook de keiharde, gevoelloze zakenman van vroeger was verdwenen. Matt zag tranen in Muntes ogen opwellen terwijl hij sprak. 'Ik zocht naar de zapper, terwijl Mordoran je vader zocht. Zijn dood was niet nodig. Mordoran heeft hem alleen maar vermoord, omdat hij dat wou. Ik vond de zapper en verdween ermee, zoals me was opgedragen. Ik verborg hem thuis. Later hoorde ik wat er met je vader was gebeurd.' Munte verborg zijn gezicht in één hand, terwijl hij luid snikte. 'We moeten deze lui stoppen. Wat er ook gebeurt, ze mogen dit bos niet verlaten!'

Skip stond onwennig te kijken naar de snikkende volwassen man. Zelfs Kirsten wist zich geen houding te geven. Dit had ze van haar vader niet verwacht. Misschien liet hij voor het eerst in haar leven een menselijke kant zien. Ze legde een arm om hem heen om hem te troosten.

Matt herinnerde zich dat hij Munte had gehaat, omdat hij geloofde dat hij schuldig was aan de dood van paps. Ondanks zijn woorden was dat onzin. 'Het is niet uw schuld,' zei Matt.

Op datzelfde ogenblik vouwde de deur van het paviljoen open. Mordoran stak zijn lelijke kop naar binnen. Gedurende een fractie van een seconde voelde Matt een onmenselijke haat woekeren in zijn borst. Maar op hetzelfde ogenblik duwde hij die haat opzij. Ze was zinloos en ze bracht paps niet terug. Dit was niet het juiste moment om terug te slaan.

Alles gebeurde bliksemsnel. Matt handelde instinctief. Voor Mordoran het besefte, klikte Matt de armband om zijn linkerpols. Zijn vinger vond bijna zonder nadenken de controle- en activeringsknop van de armband. Hij had zelfs nog de tijd om zich af te vragen waarom hij dit apparaat blindelings leek te kennen, terwijl hij de zapper niet had kunnen bedienen. Noch

Skip, noch Munte reageerden. Alleen Kirsten begreep meteen wat er ging gebeuren en maakte zich los van haar vader. Ze griste de amulet uit haar vaders hand, gooide zich op Matt en sloeg haar armen om hem heen alsof ze stapelgek op hem was. Matt merkte nog net dat Mordoran zijn hand omhoog bracht, in het inmiddels bekende gebaar, klaar om de geesten van de rebellen weer over te nemen. Toen was hij weg.

Er was *niets*. Hoe lang het duurde wist hij niet. Een honderdste van een seconde of vijf dagen. Toen hij weer kon denken, klopte Matts hart razendsnel tegen zijn ribben. De transportatie was een fascinerende gewaarwording. Er was een moment van ontreddering. Het was alsof hij diep geslapen had, of erger, dood was geweest. Matt voelde Kirstens gewicht tegen zich aan en verloor zijn evenwicht. Ze vielen als twee verliefden in een zee van wuivend koren.

Geschrokken rolden ze uit elkaar. 'Wauw!' deed Kirsten. 'Van een kleine stap voor de mens gesproken.'

'Alles goed?' vroeg hij.

Kirsten trok een zuur gezicht. 'Je bedoelt, op een paar kleine details na, zoals het feit dat we mijn vader in handen van een bende moordenaars hebben achtergelaten?'

Matt negeerde haar jammerklacht en keek om zich heen. Hij had hen perfect weg getransporteerd, maar waarnaartoe, daar hadden ze het raden naar. Toch had hij niet slecht gegokt. Het korenveld lag achter het kasteel van Archibald. Hij zag de torentjes in de verte opdoemen. Rechts lag de Meesensebaan. Die was merkwaardig rustig.

'Waar heb jij met die armband leren omgaan?' wilde Kirsten weten.

'Geen idee. Met die hopper had ik ook al geen problemen.'
Hij zweeg maar over het voorval in de kerk, waar hij met pure wilskracht het raam stuk had kunnen maken. *Ik lijk wel een van hen*, flitste het door zijn hoofd. De gedachte was te eng om lang over na te denken. Hij veerde op en liep naar de weg. 'We moeten de politie waarschuwen.' Hij keek op zijn horloge. Hij kon nauwelijks geloven dat het nog maar vier uur in de namiddag was. Het was nog steeds heet. De windloze blauwe hemel zinderde. Het onweer dat Tyranac had voorspeld loerde achter de horizon. 'We moeten ze tegenhouden voor vanavond het onweer losbarst.'

Ze bereikten de weg. Er was geen verkeer. Ze begonnen in de richting van het kasteel te lopen. Misschien was daar een telefoon.

Kirsten wees in de verte. 'Kijk! Verderop lopen mensen!'

Het klopte. Matt telde er drie. Ze liepen midden op de weg, in de buurt van enkele geparkeerde wagens, en maakten drukke gebaren in de richting van het maïsveld. Matt zag dat tussen het onvolgroeide maïs nog meer mensen rondliepen. Ze droegen iets in de hand. Geweren, zo leek het wel. Even voelde Matt zich wat opgelucht en hij dacht: *ze weten het al. Ze gaan de Crimo's te lijf.* Maar dat was onzin. Enkele mannen met een geweer konden daartegen niets uitrichten. Het duurde even voor Matt zag waar het om ging.

Kirsten was hem net een seconde voor: 'Het is Esso!'

En inderdaad, de tijger sloop nauwelijks zichtbaar door het maïs. Hoe was die daar gekomen? Matt wist zeker dat de poort van de kasteelmuur gesloten was gebleven, toen hij en Archibald vlak voor de middag met de hopper naar de kerk waren gevlogen. Hoe was hij dan ontsnapt?

'Ze gaan hem doodschieten!'

Het verbaasde Matt niets. Iemand uit de buurt had wellicht de tijger zien rondsluipen en de politie gewaarschuwd. Wisten zij veel dat Esso onschadelijk was en dat hij tammer was dan een bejaarde huiskat.

'We moeten ze tegenhouden!'

Ze bevonden zich op nog meer dan honderd meter van de agenten en een van hen maakte zich klaar om te vuren. Matt schoot vooruit als een sprinter op een piste. Intussen schreeuwde hij de longen uit zijn lijf. De agenten keken opzij en vroegen zich waarschijnlijk af of er een tweede losgebroken kat op hen af kwam. Toen ze echter twee wilde tieners zagen komen aanhollen, haalden ze hun schouders op. De schutter maakte zich opnieuw op om het vuur te openen.

'Niet schieten!' gilde Kirsten.

'Niet schieten!' herhaalde Matt.

Ze vielen zowat in de armen van de politie. Hijgend worstelde Matt zich onmiddellijk los. Hij liep naar de schutter en duwde de loop van het geweer omhoog. De man kon er niet om lachen. 'Zo kan ie wel weer, brutale vlerk!'

Kirsten giechelde. Ze zei: '*Ik* ben hier de brutale vlerk. Matt is een doetje.'

De opgeschoten agent zei: 'We zijn hier bezig met een hachelijke operatie. Jullie lopen gevaar.'

Ja, dacht Matt, *en jullie ook.* Hij antwoordde: 'Wat, die tijger? Die is eigendom van Archibald, de bewoner van het kasteel verderop! Hij is zo mak als een lam.'

'Watte?'

Zonder verdere uitleg sprong Matt het veld in en rende door de maïs Esso tegemoet.

De kleine agent sprong als een kikker op en neer en riep: 'Hou hem tegen! Maar hou hem dan toch tegen! Straks valt die tijger hem nog aan!'

'Die tijger is ongeveer zo gevaarlijk als een koolwitje,' zei Kirsten nuchter.

Matt viel voor Esso op zijn knieën. 'Hé, Esso, wat doe jij hier jongen?'

Esso legde als groet zijn poot op Matts schouders met zoveel kracht dat Matt even dacht dat zijn schouder zou breken. 'Zoek je Archibald? Hoe ben jij buiten de kasteelmuren gekomen? Er heeft toch niemand ingebroken?'

Esso hield zijn kop vragend scheef, alsof hij niet begreep wat Matt bedoelde. Matt greep het dier zuchtend bij zijn nekvel en trok hem zachtjes mee. 'Kom op, we moeten naar huis.' Esso gromde en slofte gezapig mee.

De tong van de agenten viel van verbazing zowat uit hun mond toen ze Matt met Esso uit het maïsveld te voorschijn zagen komen. Het dier gedroeg zich als een tamme kat, maar toch deinsden ze ongerust achteruit. 'Pas op, jongen, het is en blijft een wild dier!' waarschuwde de schutter hem.

Voor elk ander dier zou dat kloppen, meende Matt, maar Esso wist niet dat hij een wild dier was. In de jungle zou hij hopeloos omkomen van de honger. 'Wees niet bang. Ik zal hem weer naar huis brengen. Hij blijft wel bij me.'

'Dat wil ik graag geloven, jongen, maar hier moeten we toch een procesverbaal over maken. Wie is de eigenaar, zei je?'

'Archibald van Kempier. De eigenaar van het kasteel. Maar hij is er niet.'

'Hoezo, hij is er niet. Hoe weet jij dat?'

Omdat hij door een bende buitenaardse psychopaten gevangen wordt gehouden, dacht Matt. En plots voelde hij hoe belachelijk dat klonk. Hier, in de koestering van de julizon, leek de inktzwarte vrieskou van het Dodenbos onwerkelijk. Hij keek Kirsten met iets van wanhoop in zijn ogen aan.

'Archibald is gekidnapt,' zei ze. Het had geen zin om deze mensen de waarheid te vertellen. Dat geloofden ze toch nooit. Dan maar een aannemelijke smoes opdissen. 'Vanochtend vonden we het kasteel verlaten. We zijn Archibald gaan zoeken en waarschijnlijk hebben we toen de kasteelpoort op een kier laten staan.' Ze trok haar onschuldigste gezicht. 'Sorry, ik denk dat het onze schuld is dat Esso ontsnapt is.'

'Esso?' zei de schriele agente. 'Heet dat monster Esso?'

'Om een lang verhaal kort te maken: we hebben Archibald gevonden in een hut in het Dodenbos. Tenminste, dat denken we. Er stonden wagens bij de hut geparkeerd en iemand hield de wacht. Jullie moeten meekomen!'

De agenten leken met hun over en weer gaande blikken overleg te plegen. 'Ik heb nog nooit zoveel onzin achter elkaar gehoord,' zei de korte. 'Het Dodenbos is eigendom van Necroid. Het is helemaal afgebakend. Daar komt niemand in zonder dat ze het gezien hebben, laat staan een stel gangsters met wagens. Trouwens, wat is er zo bijzonder aan die Archibald dat ze hem zouden kidnappen en enkele kilometers verderop in een hokje stoppen?'

Kirsten zag er plots uit alsof ze door een gifslang was gebeten. Ze was het niet gewend dat iemand haar verstandelijk de baas was. Dus flapte ze eruit: 'Jullie moeten mee naar het Dodenbos! Nee, niet jullie! Jullie moet versterking vragen. Alleen kunnen jullie het niet aan.'

De schutter borg intussen zijn geweer op in een koffertje dat op de motorkap van een van hun wagens lag. 'Hebben jullie ze nog allemaal op een rijtje?'

'Er is iets verschrikkelijks in het Dodenbos,' zei Matt vlak.

De lange agente tikte met rollende ogen tegen haar slaap. De schutter zei: 'Wat dan?'

'Dat geloof je toch niet.' Kirsten hoopte dat hun nieuwsgierigheid gewekt zou worden als ze niet te veel zei.

Het werkte niet. De schutter klapte de koffer dicht en opende de deur van de wagen om de koffer op te bergen. 'Nee, dat zal wel niet.' Hij viste een walkie-talkie van zijn gordel en bracht zijn collega's op de hoogte van de feiten. Ja, het gevaar was geweken, nee, er was geen hulp meer nodig, alles kwam op rapport en haal nu die afsluitingen maar weg, zodat het verkeer weer door kan. Toen richtte hij zich weer tot Matt en Kirsten. 'Luister, breng die kat hier rustig naar huis en wij gaan ons rapport schrijven. Als die mooie kasteelheer van jullie nu niet thuis is, dan kloppen we morgen wel bij hem aan. Een tijger als huisdier houden en dan ook nog laten ontsnappen, daar komt hij niet goedkoop vanaf. We zullen de dierenbescherming op de hoogte moeten brengen. En nu rijden we even mee tot de tijger netjes achter slot en grendel zit. Enne ... gewoon om jullie een plezier te doen, zullen we eens een kijkje nemen in het Dodenbos, oké?'

'Nee!' riep Kirsten. 'Dan wimpelen ze je gewoon af. Of ... of ... Ach, laat maar.'

Ze trok een gezicht als een donderwolk en marcheerde zonder hen nog een blik te gunnen in de richting van het kasteel. Esso waggelde opgewekt naast haar mee. Matt keek naar de agenten en overwoog nog een laatste poging, maar besloot toen haar te volgen. Ze zouden nooit geloven wat er in het Dodenbos gebeurde.

De agenten reden met een slakkengangetje achter hen aan. Matt zag al van ver dat de poort van de kasteelmuur openstond. Wie was daar binnen geweest? Hij verstarde toen hij zag dat er een gat in de deur was gebrand op de plaats waar het slot had gezeten. Er hád wel degelijk iemand ingebroken. Op klaarlichte dag. Wie? En waarom? Archibald was ongetwijfeld rijk, en in het kasteel lagen kunstschatten van ontzaglijke waarde, maar inbreken op klaarlichte dag?

De politie zwaaide nog een keer toen ze met Esso binnenstapten. Matt trok de poort achter hen dicht. Terwijl Esso vrolijk op zoek ging naar een speeltje, speurde Matt naar iets waarmee hij de poort kon blokkeren. Tegen de muur vond hij een vermolmde korte balk, waarmee hij de poort schraagde. Niet sterk, maar voldoende om een flinke windstoot de baas te kunnen. Meer hoefden ze voorlopig niet te vrezen.

'Zouden ze nog binnen zijn?' vroeg Kirsten.

Matt keek om zich heen in de chaotische tuin van Archibald. 'Wie?'

'Wie het ook is die het slot van de deur heeft geforceerd. Iemand is hier ingebroken en heeft de deur laten openstaan. Zo is Esso ontsnapt. Misschien is hij Archibald gaan zoeken.'

'Misschien. En misschien zijn de inbrekers zo van Esso geschrokken dat ze er weer vandoor zijn gegaan.'

Kirsten schudde haar hoofd. 'Dit slaat nergens op. Iemand die de schatten van Archibald wil roven, gaat niet over één nacht ijs. Die bereidt zich goed voor. Die weet dus ook dat Esso er is.

En die zal dus niet aarzelen om hem uit te schakelen. Met een verdovend pijltje, bijvoorbeeld.'

'Of misschien weet hij ook dat Esso ongevaarlijk is en trekt hij zich er niets van aan.'

'En breekt hij in bij klaarlichte dag? Hoe weet hij dat Archibald er niet is? Nee, Matt, hier is iets anders aan de hand.'

'Best mogelijk, maar ik denk niet dat we tijd hebben voor *nog* een ander mysterie. Vannacht trekken de Crimo's naar Kempier. We moeten hen voor die tijd zien uit te schakelen. Heb je al eens nagedacht over hoe we dat gaan doen?'

'Ja,' zei Kirsten, en verder niets.

Matt keek haar met grote ogen na, terwijl ze met ferme tred in de richting van het kasteel liep. *Ja? Hoezo, ja?* Met enige aarzeling ging hij haar achterna. Hijgend haalde hij haar in. Er speelde een flauwe glimlach om haar lippen. Ze vond zijn nieuwsgierigheid prettig. Ze was nog altijd graag de slimste. Eigenlijk gunde hij haar het pleziertje niet, maar toch vroeg hij: 'Hoe dan?'

'Die lui komen van een planeet die om een rode dwergster cirkelt, juist? Een zwakke ster, die maar heel weinig licht en warmte geeft. Daarom hebben ze om hun schuilplaats in het Dodenbos een veld gelegd dat het milieu op hun thuiswereld nabootst. Koud en donker. De hitte en het licht van onze zomer kunnen ze niet aan. Je zei dat de hopperpiloot die je vanmorgen tot hier volgde een soort zonnebril opzette toen hij het Dodenbos verliet. En dat er een vreemde waas om hem hing, waardoor het leek alsof hij in de mist zat.'

Matt knikte. Dat herinnerde hij zich glashelder. 'Net als die mannen in de kerk. En bij jou thuis.'

'Ik geloof dat ze een soort krachtveld gebruiken, gelijkwaardig aan het veld dat het Dodenbos omhult, maar kleiner, minder sterk. Minder sterk, omdat de krachtbron draagbaar moet zijn. Beschouw het als een soort open koelkast, waardoor de temperatuur rondom het lichaam van de drager sterk daalt. Zei je niet dat het zo koud was bij je thuis op de nacht dat je vader werd vermoord?'

Nog zo'n afgetekende herinnering. 'IJskoud.'

'In het donker had Mordoran geen bescherming nodig voor zijn ogen, maar het was die nacht wel heel warm. Dus droeg hij ook zo'n veld met zich mee. De kou die van hem afstraalde, bleef nog even in het huis hangen nadat hij verdwenen was.'

De theorie klopte. Maar waar wilde Kirsten naartoe?

'Ik geloof dat de temperatuur op hun planeet vrij stabiel is, waarschijnlijk tussen de nul en vijf graden. Zeker niet kouder, want leven heeft stromend water nodig. Aan ijs heeft het niets. Tenminste, het leven zoals wij, en zij, het kennen. Maar een temperatuur van meer dan tien graden is voor hen waarschijnlijk even erg als een hitte van vijftig graden voor ons. Bij twintig graden vallen ze vast om. En nu is het minstens dertig graden. Dus stel je voor: warmte en licht samen wordt hen fataal. Wij moeten dat krachtveld zien uit te schakelen. Vandaag nog. Voor het donker wordt.'

De deur van het kasteel stond op een kier. Kirsten duwde ze open, tuurde even naar binnen en ging toen verder.

'Meer niet?' vroeg Matt flauwtjes.

De bibliotheek was leeg. Iemand had de spullen flink overhoop gehaald, maar met respect, zonder er een echte puinhoop van te maken. Iemand had iets gezocht.

Toen klonk een bibberende stem: 'Wie is daar?'

Matt verstijfde. Hij kende die stem. Hij wenkte Kirsten met zijn hoofd en samen liepen ze door de gang naar de plek waar de stem vandaan kwam. Aan het eind van de gang kwamen ze in een kamer, die helemaal verduisterd was. Er tekenden zich vage vormen af van een hoge wandkast, vitrinekasten en een paar fauteuils. Matt knipperde even met zijn ogen om ze te laten wennen aan de schemering.

'Matt!' riep de stem verrast. Een schim dook op uit de schemering en bleef voor hem staan.

Het was Herbert Kuyken. Hij zag er vermoeid uit en bang. Zijn witte hemd vertoonde grote zweetkringen rondom zijn oksels. Hij had zijn das losgemaakt, alsof hij net een nachtje was gaan stappen. 'Wat ben ik blij jou te zien. Je moet me helpen!'

Herbert Kuyken was de inbreker? Dat was niet echt een verrassing, maar bovenop die huichelachtige misdaad smeekte hij nu ook nog om hulp? Een rare combinatie. Intussen waren Matts ogen voldoende gewend aan het duister om te zien dat Herbert niet alleen was in de kamer. Op een bank met rode pluche lag een grote figuur onrustig te woelen.

Herbert keek naar de man om en ging voor Matt uit de weg. 'Ik weet niet wat ik met hem aan moet,' fluisterde hij. 'Ik ben bang dat hij gaat sterven!'

Op slag besefte hij wie er voor hen lag. Hij greep Kirstens hand en was blij dat hij haar warmte voelde. Hij stapte naar voren in de schemering van het vertrek. Toen zag hij dat hij juist had gedacht.

Het was Agamon.

Het was niet de eerste keer dat Matt die dag in een draaikolk van vragen terechtkwam. Het leek wel of hij in korte tijd jaren ouder was geworden. Van Agamon had hij gisteren nog nooit gehoord, maar nu leek hij al een oude bekende. De reus zag er vreselijk uit. Ondanks de duisternis, waren zijn ogen gesloten. Badend in het zweet hapte hij naar adem als een vis op het droge. Zijn huid had een asgrijze kleur gekregen. Zijn buik maakte golvende bewegingen, alsof hij steeds een braakneiging moest onderdrukken.

Agamon was uit het Dodenbos ontsnapt! Hij was waarschijnlijk met een hopper weggekomen, of misschien met een teleportband, zoals hij en Kirsten. Maar waar wilde hij heen? Hij wist dat Sevinge dood was, dus die hoefde hij niet te zoeken. Waarschijnlijk was het een wanhoopsdaad geweest en wilde hij om het even wie aanklampen om alarm te slaan.

Matt stond voor Agamon en draaide zich verwijtend om naar Herbert. Die zag er doodsbang uit. 'Ik wist niet wat ik moest doen. Luister, ik werk al enkele jaren bij Necroid. Ik ben assistent-manager. Geen hoge functie, maar ik heb een heldere kijk op het reilen en zeilen van de zaak. Ik wist al snel dat er met het project in het Dodenbos iets loos was. Marcel Munte begon zich vreemd te gedragen. Hij was zichzelf niet meer. Hij had het over een nieuwe tijd en over een nieuw verbond. Hij had het ook over de kerk van Kempier en over de opgravingen. Toevallig kwam ik er ook achter dat hij erg geïnteresseerd was in de zapper die je vader en ik hadden opgegraven. Daarom wilde ik dat ding bemachtigen. Jij wilde me de zapper niet geven, dus ben ik je gevolgd. Ik zag jullie vanmiddag met dat vliegtoestel …'

'De hopper.'

'Hoe je het ook noemt. Ik volgde jullie met de auto en ging de kerk binnen. Ik verschool me in de biechtstoel. Van daaruit heb ik alles gezien. Hoe je ontsnapte. Hoe jullie de amulet vonden. Ik wachtte tot alles weer kalm was, voor ik de kerk verliet. Ik wist eerst niet waarheen. Jou volgen was onmogelijk. Je was allang verdwenen. Dus kwam ik hierheen. Ik dacht: als er ergens een spoor is te vinden, dan wel hier, bij Archibald. Ik reed dus regelrecht naar het kasteel. Onderweg sprong *hij* plots voor mijn auto.' Hij wees met een beschuldigende vinger naar Agamon. 'Hij dook uit het veld de weg op. Ik had geen tijd meer om te stoppen. Hoe hard ik ook remde, hij kwam op mijn motorkap terecht.' Herbert werd zichtbaar zenuwachtig van de herinnering. 'Hij was niet zwaar gewond, maar toch was hij er vreselijk aan toe. Hij was doodop en hij ijlde. Hij leek wel blind. Ik dacht er eerst even aan om met hem naar het ziekenhuis te rijden. Toen besefte ik dat hij eruitzag als die kerels in de kerk, die het op jou gemunt hadden. Ik wilde hem ondervragen, maar eerst moest hij rusten. Hij hielp de poort te forceren. Hij blies het slot eruit, precies zoals jij deed met het raam van de kerk.' Herbert deed eerbiedig een stap terug, nu hij zich plotseling herinnerde wat Matt gedaan had.

'Ik ben hier nog maar een uurtje, maar de hele tijd heeft hij eigenlijk maar één ding gezegd: jouw naam! Matt! Telkens weer roept hij "Matt"!'

Matt keerde zich weer om en hurkte neer bij Agamon.

Achter hem zei Kirsten: 'Ga naar de keuken en haal zoveel koude dingen als je kunt vinden: ijs, ingevroren vlees en groenten, koude flessen drank, maakt niet uit. We moeten hem zo koud mogelijk houden.'

Herbert schuifelde de gang in en Kirsten knielde naast Matt. 'Blijkbaar heeft Herbert Kuyken het nog niet zo slecht voor als jij wel dacht, hè?'

Matt haalde zijn schouders op. 'Hij is een opportunist. Hij zoekt zijn voordeel waar het te halen valt. Hij zocht een primeur, maar nu heeft hij meer gevonden dan hij wilde.' Zacht greep Matt Agamons onderarm. Het lichaam voelde klam en koud aan. 'Agamon, ik ben het, Matt!'

'Matt?' De stem klonk schril, wanhopig, trillend van vermoeidheid. Zijn blinde ogen zochten vruchteloos rond. De zon had hem blind gemaakt. Nu perste de juliwarmte het leven uit zijn aderen. Achter de dikke kasteelmuren was het relatief fris, maar voor iemand van Agamons wereld was het heter dan in de heetste woestijn. 'Matt? Jij. Je bent ... een van ons.'

Kirsten keek Matt met een bedenkelijke blik aan. 'Hij ijlt.'

Agamon protesteerde onmiddellijk. 'Nee! Nee, ik ijl niet. Ik ... Ik weet dat ik stervende ben. De hitte is ondraaglijk.' Hij hapte krampachtig naar adem. 'Jij bent een van ons. Ik zag je aan het werk ... met de hopper ... toen je ontsnapte ... Matt. Jij bent een van ons.'

'Wat bedoel je?'

'Vijfhonderd jaar ...' hijgde de Ciriër. 'Vijfhonderd jaar!'

'Ja, de episode met pastoor Sevinge ligt vijfhonderd jaar achter ons.'

'Niet Sevinge. Niet Sevinge, hij ... hij had er niets mee te maken. Het was Nele … Nele liet het tij keren. Zij was het. Zij heeft jullie wereld gered. En nu zal ze dat opnieuw doen.'

'Waar heeft hij het over?' vroeg Kirsten. 'De hele tijd heb ik alleen over pastoor Sevinge horen praten en nu doet hij opeens niets meer terzake?'

Matt herinnerde zich de projectie in de kerk en de enkele zinnetjes die Agamon aan een vrouw met de naam Nele had gewijd. 'Ik geloof dat ze … dat ze zijn vrouw was.'

'Ja! Ja, ze was mijn vrouw.'

'Een *aardse* vrouw?' vroeg Kirsten ongelovig. Ze walgde bij het idee. De meeste jongens die ze kende bevielen haar niet, maar met een kerel van Agamons formaat aanpappen, bah!

'Zij maakte het verschil,' herhaalde Agamon. 'Zonder haar had ik Sevinge nooit gekend. Zonder haar liefde had ik geen genade gekend. Niet voor haar. Niet voor mezelf. En niet voor de aarde.'

'Hij werd verliefd,' zei Matt tegen Kirsten. 'Door zijn liefde voor Nele bedacht hij dat deze planeet misschien toch nog het redden waard was. Voor hij haar leerde kennen, was hij bereid de planeet en haar mensen op te offeren om naar Cirië te kunnen terugkeren.'

'Ze was een goed mens. De Sterrenwereld waardig. Door haar verzette ik me opnieuw tegen de Crimo's, zoals mijn opdracht was. Door haar en Sevinge kon ik hen verslaan. Maar ik was bang. Bang dat Tyranac ooit toch weer uit stasis zou ontwaken, nog *voor* de schepen van Cirië de aarde konden bereiken, en dat ik niet sterk genoeg zou zijn om hem te bestrijden. Daarom gaf ik Nele wat we allebei wilden: een kind.'

Opstandig veerde Kirsten omhoog. 'Wat een onzin. Wat een

ongelooflijke hoop klinkklare nonsens! Dat is wetenschappe-
lijk totaal onmogelijk. Je kunt onmogelijk twee totaal verschillende soorten met elkaar kruisen. Het is zelfs niet mogelijk om
een chimpansee met een mens te kruisen, en die verschillen
genetisch bijna niet van elkaar. En jij komt hier doodleuk vertellen dat jij, een wezen van een andere planeet, een kind hebt
verwekt bij een aardse vrouw? Dat kan niet en daarmee basta!'

Agamon had een ogenblik nodig om van die aanval te bekomen. Intussen was Herbert uit de keuken teruggekeerd, zijn
armen vol met bevroren spullen. Kirsten griste de ijsblokjes uit
zijn armen en propte ze als kussentjes aan beide zijden van
Agamons bevende lichaam. Bevroren erwtjes naast zijn oren,
een kipfilet aan zijn benen ... Binnen de kortste keren zag de
reus eruit als de etalage van een kruidenier. Maar het deed hem
duidelijk deugd. Hij haalde enkele keren diep adem en zei: 'Je
hebt gelijk. Het kan niet.'

'Aha!' Kirsten keek Matt triomfantelijk aan.

'Tenminste, niet zonder hulp.' Agamon hapte even naar adem
voor hij verder ging. 'Veel heb ik onderweg niet gezien ... van
jullie beschaving, maar genoeg om te weten ... dat er veel is veranderd in vijfhonderd jaar.' Opnieuw een stilte. Elke zin leek
hem moeite te kosten. 'En toch lopen jullie nog eeuwen achter
op Cirië. De wereld waar ik vandaan kom. Dat is −'

Matt kneep zachtjes in Agamons arm om hem het zwijgen
op te leggen. De Ciriër hoefde geen energie te verspillen aan
het verhaal van de Sterrenwereld en de plaats van de Crimo's
daarin. 'Ik weet het. Ik heb de opname bekeken die je aan pastoor Sevinge hebt gegeven.'

Agamon leek heel even verbaasd, maar knikte dan zwakjes.

'Goed. Dan weet je ook dat wij even ver van jullie staan als jullie van Sevinge. Wij hebben technieken, eenvoudige genetische technieken op nanoschaal, die ons in staat stellen om, onder andere, genen van twee verschillende soorten met elkaar te verbinden. Voor mij was het een kans. Ik gaf Nele de nakomeling die ze zich wenste. En ik gaf mijn genen door aan de bewoners van de aarde.'

Matt begon het te begrijpen. 'De krachten van de Ciriërs leven verder in sommige aardbewoners. In die aardbewoners die rechtstreeks afstammen van jou en Nele!'

Snakkend naar adem knikte de oude Ciriër. 'Dankzij die krachten maakten jullie een kans – als ik er niet meer was. Ik gaf aan Sevinge de opdracht om goed voor het kind te zorgen.'

Matts gedachten flitsten naar berichten die hij had gelezen of gehoord. In kranten. Tijdschriften. Op webpaginas en televisiereportages. Berichten over helderzienden en gedachtelezers. Over mensen die door de kracht van hun gedachten voorwerpen konden verplaatsen. Zelfs mensen die vuur konden laten ontvlammen door hun geest daarop te concentreren. Allemaal geruchten, niet bevestigde berichten. Pseudo-wetenschap die door geen zinnig mens ernstig werd genomen. Kon het zijn dat er naast de kwakzalvers toch een kern van waarheid school in sommige van die berichten? Was het mogelijk dat enkelen van hen nakomelingen waren van deze Agamon? Dat hun krachten rechtstreeks teruggingen tot de genen van een buitenaardse man?

Toen schoot een andere gedachte door Matt heen. Een besef dat hem als een aardbeving door elkaar schudde. Hij hield zijn hand voor zijn ogen en merkte hoe ze beefde.

Kirsten had dezelfde conclusie al getrokken: 'Jij bent één

van hen,' fluisterde ze. 'Jij bent een afstammeling van Agamon.'

Matt knikte. Het was een wetenschap waaraan hij niet kon ontkomen. Daarom wist hij het kerkraam weg te blazen met zijn gedachten. Daarom voelde hij instinctief aan hoe hij de hopper en de transportatieband moest gebruiken. Hij was een mens, maar ergens in zijn binnenste scholen ook de genen van een buitenaards wezen. Hij huiverde. Nu begreep hij meteen ook hoe paps had kunnen weerstaan aan de geestelijke dwang van Mordoran. Waarschijnlijk had hij ook Agamons genen.

'Jij bent één van ons,' herhaalde Agamon. Zijn ademhaling werd onregelmatig en hij moest luid hoesten. Dat vergde zoveel van zijn krachten dat hij daarna weer enkele minuten nodig had om te herstellen. Matt en Kirsten keken elkaar hulpeloos aan. De Ciriër was er erg aan toe. Matt durfde het niet hardop te zeggen, maar hij geloofde niet dat de reus nog lang zou leven.

Het was niet nodig. Agamon zei: 'Mijn tijd is bijna op. De vlucht hierheen en de hitte … het is ondraaglijk. Maar het is niet vruchteloos geweest. Jij …' Hij keek even naar Kirsten. Het leek wel of hij niet zeker meer wist wie nu wie was. '… Jullie moeten Tyranac verslaan.'

Graag, dacht Matt, maar: 'Hoe dan? Hoe kunnen we dat? Hij is veel te sterk voor ons. Ik heb misschien enkele van jouw krachten in me, maar niet genoeg. Bovendien zijn zij met dertig. En ze willen vannacht Kempier aanvallen! Het begin van hun veroveringstocht.'

'Hij heeft gelijk,' zei Kirsten. 'Zijn kracht is ongelooflijk voor deze wereld, maar niet sterk genoeg om tegen jullie op te tornen. En dat is geen wonder, want er zitten bijna twintig generaties tussen jou en Matt. In sommige mensen zal jouw gen nog sterk naar voren komen, maar bij de meesten betekent het niets meer.'

'Het is genoeg,' hoestte Agamon. Een beetje kwaad, zo leek het. 'Je hebt ... de amulet ... en je gaven. Daarmee moet het lukken. Luister ...' Agamon rochelde. Er liep een druppeltje dik, bruin bloed over zijn lip. Zijn ogen werden wazig. Met zijn laatste krachten greep hij Matts schouder. 'De Nucleus. Je moet ... de Nucleus treffen.'

'Dat weet ik,' zei Kirsten. 'De Nucleus is hun achilleshiel. Hun zwakke plek. Maar mogen we de krachtbron die in de Nucleus zit, wel vernielen? De energie die daarbinnen zit, moet ontzaglijk zijn. Als die vrijkomt, gaan we er allemaal aan.' Je kon horen dat ze die prijs niet wilde betalen.

Agamon knikte moeizaam. 'In de Nucleus zit een ... een singulariteit ...'

Matt keek niet-begrijpend van Agamon naar Kirsten en terug. En dan weer naar Kirsten. Hij zag aan haar ogen dat zij wél begreep waar hij geen sikkepit van snapte. 'Een singulawat?'

'Een singulariteit. Een piepklein zwart gat. Ik heb er al eens over gelezen. Je weet toch wat zwarte gaten zijn?'

Matt wist dat helemaal niet. Hij had de term wel eens gehoord, meer niet. 'Ik niet.'

Kirsten rolde met haar ogen bij zoveel onwetendheid. Ze zuchtte en zei: 'Zwarte gaten zijn de restanten van reuzensterren. Aan het eind van hun leven klappen zulke sterren in elkaar, ze imploderen. Ze zijn zo zwaar dat niets uit hun zwaartekracht kan ontsnappen. Zelfs geen licht. Vandaar de naam. Zwarte gaten bestaan er in verschillende afmetingen en er bestaat een theorie die zegt dat je ze ook kunt maken. Zo'n zwart gat zou dan kleiner zijn dan een zandkorrel, maar zwaarder dan een hele bergketen. Dat is wat hij een singulariteit noemt. De hitte die zo'n zwart gat opwekt, zou genoeg zijn om heel België van stroom te voorzien. En dát is dus hún energiebron in het Dodenbos. Dát zit er in de Nucleus.' Ze richtte zich weer tot Agamon. Matt begreep er nog steeds geen jota van, maar Kirsten was duidelijk geboeid. Typisch, dacht Matt. De enige gesprekspartner die Kirsten Munte kon boeien, was een buitenaards wezen. 'En dat zwart gat wordt waarschijnlijk bewaard in een magnetisch veld?'

Agamon knikte, tevreden dat hij zo weinig moest uitleggen. 'Als het magnetisch veld uit evenwicht komt, dan klapt de singulariteit in elkaar.'

'En dan valt het prompt naar het middelpunt van de aarde!' besloot Kirsten kwaad. 'En daar begint het dan langzaam maar zeker de aarde van binnen uit op te vreten, zodat er over enkele jaren geen aarde meer is! Mooi is dat, twee vliegen in één klap: we schakelen Tyranac uit en vernietigen de aarde.' Kirsten stootte Matt aan. 'Zo is het toch? Eerst weegt zo'n zwart gat minder dan de aarde, dus het valt recht naar beneden, tot in het middelpunt van de aarde. En daar valt de materie beetje bij beetje en alsmaar sneller in het zwarte gat, tot het de aarde over enkele jaren heeft opgeslokt!'

Agamon wuifde vermoeid met zijn hand en hoestte. 'Er is geen gevaar. De singulariteit zal uit het universum verdwijnen. Zo zijn ze ontworpen.' Agamon hoestte nog eens uitvoerig en leek plotseling haast te krijgen. Misschien voelde hij dat er hem geen tijd meer restte. 'Jullie moeten … de Nucleus vernietigen.'

'Maar hoe?' vroeg Matt.

'Straling! Jullie wereld … stikt van de straling. Ik heb genoeg gezien in de auto van … Herbert. Communicatie … straling! Daar is het niet tegen … bestand. Je moet …' Het zweet brak de Oppasser uit en hij hoestte opnieuw luid. Zijn ogen werden schichtig, alsof hij de dood met zijn zeis op zich af zag stormen. 'Maar … als de Nucleus in elkaar klapt … mag je niet in de buurt zijn … of het slokt je mee op …' Agamon voelde dat hem geen tijd meer restte en repte zich om een laatste waarschuwing te geven. 'Weet … dat het hiermee niet voorbij is, mijn kind … Dit is nog maar het begin!'

Nog een laatste keer probeerde Agamon adem te happen, maar de blik in zijn ogen werd dof, de lucht stokte in zijn keel en de hand viel van Matts schouder. De oude Ciriër was dood.

Herbert had het niet meer. Hij had de hele tijd staan trillen op zijn benen achter Matt en Kirsten. 'Dood …' stamelde hij. 'Hij is dood, is het niet?'

Matt knikte, zonder zijn ogen van het bleke lichaam af te wenden. De aanwezigheid van de dood was niet prettig, maar na het gruwelbeeld van zijn vermoorde vader, deed dit hem niets. Naast hem bracht Kirsten haar hand naar Agamons gezicht. Ze sloot zacht de starende ogen en de ijlende mond. Plotseling zag de grote man er vredig uit. De werveling van gevoelens en gedachten in Matts hoofd stormde echter hardnekkig verder. Dit was een van zijn voorvaderen, van dertig generaties geleden. Van hem had hij de griezelige krachten geërfd waarmee hij een raam had gebroken en dingen aanvoelde voor ze gebeurden. En er waren er nog meer. Verspreid, wellicht, over de hele wereld. Wat bedoelde hij met: 'Dit is nog maar het begin?'

'Ja, hij is dood,' zei Kirsten, terwijl ze op haar horloge keek. 'Het is al na zessen.'

'Zes uur?' snerpte Herbert schril. 'En wat zou dat? Die man is morsdood en jij begint over het uur te lullen!'

'Ja,' vond ook Matt. 'Het is zes uur. Wat zou dat?'

Kirsten keek hem aan met die rotblik van haar: die blik die hem zei dat ze hem een superoen vond. 'Dat het de hoogste tijd wordt en dat we teruggaan naar het Dodenbos. Heb je een gsm?'

Matt schudde zijn hoofd. Probleem was: hij *vond* zichzelf ook een superoen. Het was ergerlijk dat ze hem steeds een stap voor was. 'Nee. Waarom moet ik een gsm hebben?'

'Om de Nucleus te vernietigen. Kijk, de Crimo's vallen vannacht Kempier aan. Dat is het begin van het einde. Dus moeten we hen *voor* vannacht stoppen. Hoe kunnen we hen stoppen? Door de Nucleus te vernietigen. Dan valt het beschermende veld rondom het Dodenbos weg en staan de Crimo's bloot aan omstandigheden die ze niet kunnen verdragen. Als we willen slagen, dan moeten we de Nucleus uitschakelen terwijl het nog voldoende licht is en voor het onweer dat Tyranac voorspelt. Dus moeten we *nu* gaan en een gsm meenemen.'

'Maar waarom een gsm?'

'Hoorde je niet wat hij zei? Onze wereld zit vol met straling.'

Eén plus één is twee, hoorde Matt haar denken, maar hij vatte het niet. Dus legde Kirsten het zuchtend uit. 'Als een vliegtuig opstijgt, worden mensen verzocht hun gsm of laptop niet te gebruiken en in ziekenhuizen wordt je gevraagd je gsm uit te zetten. Dat is omdat de straling van een gsm of een laptop de werking van gevoelige medische apparaten of de besturing van een vliegtuig kan verstoren. De Nucleus is vast een héél gevoelig apparaat. Bovendien zijn de Ciriërs allang niet meer gewend aan de straling die wij voor lief nemen. Hun Nucleus zal er waarschijnlijk niet tegen opgewassen zijn. Waarom trapte die Crimo anders mijn gsm kapot?'

Matts mond viel open, toen hem nog een herinnering te binnen viel. 'En Skip zei dat de drie bewakers speelgoedgsm's bij zich hadden. Verdorie, hij had gelijk! Die waren alleen bedoeld om mee te zwaaien. Ze dreigden de politie op te bellen, maar dat konden ze helemaal niet.'

'Ik heb een gsm!'

Ze draaiden zich om en zagen Herbert Kuyken staan, zwetend en bleek als een Ciriër, met in zijn uitgestoken bevende hand, een glimmend mobieltje. Matt aarzelde. Als hij de gsm aannam, dan tekende hij voor een avontuur dat hij met zijn leven kon bekopen. Was het niet veiliger om op de loop te gaan? Schuilen tot de bui over was? Maar dat was nu net het probleem: de bui zou niet overgaan. Ze zou alleen maar erger worden en vroeg of laat was er geen plek meer op de wereld waar hij nog kon schuilen.

Kirsten stelde zich die vragen niet. Ze griste de gsm uit Herberts handen. Een heel andere Kirsten dan die van gisteren, meende Matt. Toen zou ze er niet over gepeinsd hebben zich in dat wespennest te steken. Kwam het omdat ze wist dat de Crimo's haar vader in hun macht hadden? Ze had vandaag al twee keer laten zien dat haar hart niet van graniet was. Het meisje keek op het schermpje van de telefoon. 'Batterij bijna leeg. Laat ons hopen dat hij het houdt. We moeten gaan, Matt. Heb je de armband?'

Matt hield zijn arm omhoog. 'Die is niet van mijn arm af geweest.'

'Wacht!' riep Herbert. Hij trok zijn jasje van een stoel en stak zijn hand diep in zijn binnenzak. 'Dit zul je nodig hebben!' Als een goochelaar toverde hij plots een stuk geslepen glas te voorschijn en hield het voor Matts ogen.

'De tweede amulet!'

'Ik nam ze mee uit de kerk nadat jullie vertrokken waren.'

Kirsten vond het maar niks. 'Hoe kunnen we weten of het echt is? Misschien is het nep. Namaak!'

Maar Matt nam de amulet aan en woog ze in zijn hand. Ze

was identiek aan het exemplaar dat in Kirstens zak zat. 'Konden ze dit vijfhonderd jaar geleden namaken in een modderdorp als Kempier?'

'Misschien is het hier niet gemaakt. Of misschien is het veel later gemaakt!'

'Zonder het origineel bij de hand? Dat geloof ik niet.' Hij liet de amulet in zijn zak glijden. 'Hou jij de eerste amulet maar. Ik gok wel op dit exemplaar.'

'Ben je klaar?' vroeg Kirsten.

'Nee. Maar dat zal ik wel nooit zijn.' Hij keek naar de armband, die er nu al vertrouwd uitzag. Hij vroeg zich af hoe dat kon. Klopten die verhalen over een collectief geheugen dan toch? Was het mogelijk dat een herinnering werd doorgegeven van generatie op generatie, gewoon door erfelijkheid? Hij moest het gaan geloven. Het schermpje op zijn pols was vierkant en in de rechterbovenhoek pulseerde een wit punt. Dat was vast het Dodenbos. De Nucleus. Hij bewoog zijn vinger ernaartoe, waardoor hij zijn bestemming aanduidde.

'Dus het plan is?' vroeg hij.

'Waarschijnlijk zullen ze ons niet opmerken als we naar binnen transporteren,' zei Kirsten. 'Dus de boodschap is: je gedeisd houden, naar de Nucleus sluipen, die gsm aanzetten en in de Nucleus droppen.'

'En je uit de voeten maken!' voegde Matt eraan toe, terwijl hij een steelse blik op Agamon gooide. Het leek alsof hij lag te slapen. 'Je hebt gehoord wat hij zei: als je te dicht bij de Nucleus bent op het ogenblik dat hij ineenstort, dan slokt hij je mee op.'

Kirsten knikte ernstig en keek op haar horloge. 'Tien over

zes. We mogen niet meer wachten.' Ze nam zijn hand en ver-
strengelde haar vingers in de zijne, zoals verliefden doen. Vreemd
hoe ze warm en zacht aanvoelde, bijna als een gewoon meisje.
Ze kneep zelfs teder in zijn hand, alsof ze hem wilde aanmoe-
digen. Toen hij haar aankeek, stonden haar ogen mild. Ondanks
hun toestand gaf het hem een merkwaardig aangenaam gevoel.
Ooit, dacht hij, ga ik haar nog wel eens aardig vinden. Ooit.

Matt hield zijn adem in toen hij de transportatieband activeerde. En Herbert Kuyken was weg. *Alles* was weg.

Ze konden het geluk dat ze hadden best gebruiken, want de
transportatie sloeg Matt ook nu weer uit zijn lood. Hij waggelde
en viel, en trok Kirsten met zich mee. Zo lagen ze onzichtbaar en
dicht tegen elkaar onder hoge varens, als een koppeltje in een
zomers bos. Maar dit bos was eerder winters en Matt en Kirsten
gaven zich enkele minuten de tijd om hun ogen te laten wennen
aan het duister. Die enkele minuten stelden hen ook in staat zich
te oriënteren. Dat er geen Crimo's op hen afkwamen gaf hen
moed. Kirsten had goed gegokt. Misschien werkte er een soort
radar die iedereen opmerkte die het Dodenbos binnenkwam.
Maar als je naar hier transporteerde, dan zagen ze dat niet. Toch
waren er genoeg in de buurt: ze patrouilleerden rustig op hun
hoppers tussen de bomen of doolden rond bij de Nucleus.

Ten westen van de Nucleus was het Dodenbos een poel van
bedrijvigheid. Arbeiders van Necroid met vorkheftrucks hob-
belden heen en weer. Op een open plek pronkte een verzameling vrachtwagens en jeeps, waar omheen opvallend veel hoppers cirkelden. Felle stemmen schreeuwden bevelen. Daar werd
de aanval van vannacht voorbereid, dacht Matt. De verovering
van Kempier.

De kou deed hen rillen. Leunend op haar elleboog wees Kirsten op de Nucleus, die amper vijftig meter verderop nijdig siste en stampte. Van hier zagen ze pas hoe omvangrijk het ding was. Je zag hoe mansgrote ogen op de Nucleus zenuwachtig knipperden. De openingen waren groot genoeg om er met hopper en al in te duiken, dacht Matt, en op datzelfde ogenblik was er een Crimo die precies dat deed wat hij dacht. De kerel kwam in een wolk van stoom naar buiten gevlogen, stuurde naar rechts en won snelheid terwijl hij in de richting van de paviljoenen racete. Matt vroeg zich af wat zo'n man daarbinnen uitspookte. Was dat een soort onderhoudsman of gewoon een arbeider van de vroege shift die naar huis ging? Wat gebeurde er daarbinnen eigenlijk allemaal? Tyranac had hun verteld dat de Nucleus zo'n beetje van alles was: een krachtbron, maar ook een fabriek. Wat voor fabriek dan? En wat deed een Crimo met een hopper daarbinnen? De Nucleus had de grootte van een huis. Bezwaarlijk groot genoeg om in rond te vliegen. Of zat er nog een deel van de Nucleus onder de grond?

'O, prachtig,' fluisterde Kirsten. 'Het moet daarbinnen ontzaglijk groot zijn. Veel groter dan wij hierbuiten kunnen zien. Misschien zit een gedeelte van de Nucleus wel in een andere dimensie.'

'Ja, goed, en wat zou dat?'

'Hoe kunnen we dan weten wáár we die gsm moeten achterlaten? Ik vrees dat we zo diep mogelijk moeten zien binnen te dringen.'

Dat klonk niet goed. Er begon iets te knagen bij Matt vanbinnen. Zo'n zeurderig gevoel had hij als hij aan een toets begon waarvoor hij niet had gestudeerd. Hij had er ook last van als hij wist dat hij een voetbalwedstrijd moest gaan spelen die hij niet kon winnen. Alleen was het nu veel erger. Maar wat moest hij doen? Kirsten had gelijk. Straks stond de zon te laag en trok het onweer over de streek. Voor die tijd moest de Nucleus buiten werking zijn. Hij wees op een strook van varens en struiken die in een wijde boog in de richting van de Nucleus liep. Op handen en knieën schuifelden ze op hun doel af. Af en toe trok er een doorn door Matts arm en hij moest hij op zijn lip bijten om het niet uit te schreeuwen van pijn. Geestdriftige paddestoelen sprongen op in de herfstige bosbodem en spatten slijmerig uiteen onder hun handen en knieën.

Hijgend bleven ze zitten aan het einde van de strook. Inmiddels waren ze al tien minuten in het bos en nog niemand had hen opgemerkt. Een spurt van vijf meter en ze stonden voor de Nucleus. Vijf meter zonder de geringste beschutting. Ze zouden dus gezien worden, want er liepen in de buurt van de Nucleus overal Crimo's rond. Hoppers cirkelden boven hun hoofden als hongerige gieren. De openingen van de Nucleus bevonden zich allemaal op een hoogte van drie meter of meer. Je kon dus niet even naar binnen lopen. Het was klimmen geblazen. De opening knipoogde, bleef hooguit drie seconden open en sloot weer. Matt keek ademloos toe tot het weer openging. Opnieuw drie seconden open. Weer dicht.

'Het gaat na exact tachtig seconden weer open,' zei Kirsten, terwijl ze haar horloge uit drukte. 'Zie je die uitstulpingen rechts?'

Matt keek en knikte.

'Daarlangs kunnen we naar boven. Ik schat dat we in twintig seconden binnen kunnen zijn in de Nucleus.'

Het was verbazend hoe kalm ze eronder bleef. 'Dus moeten

we één minuut wachten nadat het oog weer gesloten is?'

Kirsten knikte en zag dat het oog openging. 'Eén minuut na nú.'

Matt kende dat van school. Als de laatste les van de dag net die les was waaraan je een bloedhekel had, dan duurden de minuten eeuwig. Nu hij op het knipperen van het oog op de Nucleus moest wachten was het net zo. Hij voelde zijn hart in zijn keel kloppen en toen het moment aanbrak, hoorde hij nauwelijks hoe Kirsten siste: 'Nu!'

Hij stormde vooruit. Het ging vlot. De rustige hoppers merkten hen niet op. Ze verwachtten hen niet. Kirsten ging eerst. Bij de Nucleus liep ze naar een uitsteeksel. Ze klom omhoog naar de bult die ze gezien had en die de korte klim vergemakkelijkte. Klaar om binnen te springen en –

'Shit!'

Ze waren te snel, maar Matt betwijfelde dat Kirsten om die reden stond te vloeken. 'Wat is er?'

'De gsm! Hij is uitgevallen. Batterij leeg!'

Het oog van de Nucleus knipperde precies op tijd open. In een wolk van stoom kwam een Crimo op een hopper naar buiten. Hij stopte. Zag de gsm. Reageerde. Allemaal in één enkele seconde. Met een paniekerige mep sloeg hij de telefoon uit Kirstens handen. Het toestel zeilde door de lucht, patste tegen een boom en wiekte naar omlaag, uit het gezicht. In dezelfde beweging waarmee hij de gsm had weggeslagen, gaf de Crimo Kirsten een zet in de andere richting. Ze herhaalde haar verwensing, verloor het evenwicht en stortte voorover, in het witte licht van het oog. De schrik sloeg Matt om het hart. Ze verdween in een bodemloze put. Haar schrille gil verdween razendsnel in de verte, alsof ze peilloos diep viel. In een oogwenk zag Matt de blinkende witte wanden van een schuine tunnel. Toen ging het oog weer dicht.

'Jij!' riep de Crimo.

Het was Mordoran. De man die mijn vader heeft vermoord, bracht Matt zichzelf in herinnering. Maar zoals eerder die dag moest hij de haat die in hem opwelde, bedwingen. Zijn opdracht was er niet makkelijker op geworden. Niet alleen moest de Nucleus onschadelijk gemaakt worden, Kirsten moest er ook eerst uitgehaald worden. En als hij niet snel greep kreeg op de situatie bleven beide problemen theorie. Mordoran mocht geen alarm slaan.

Verrassing was zijn enige voordeel en hij verloor het onmiddellijk. Mordoran greep Matt bij zijn T-shirt en trok hem naar zich toe. 'Jij!' herhaalde de Crimo triomfantelijk. 'Dus onze geesteskracht werkt niet op jou, hè? Dus je dacht de Nucleus even uit te schakelen? Ook goed. Als ik je geest niet kan overwinnen, dan maar je lichaam. Net zoals papalief. Dat is sowieso een stuk prettiger!'

De man was een monster, dacht Matt, terwijl hij de stinkende adem van Mordoran niet probeerde in te ademen. Maar hij zag eruit als een man. Armen, benen, mond, oren, neus, ogen ... nou ja, één dan. Was hij voor de rest ook een man? Matt besloot dat nu het geijkte moment was om de proef op de som te nemen.

Hij gaf de Crimo een knietje.

Ja dus. Mordoran liet Matt pardoes los en greep blazend naar zijn kruis. Met de duw van één hand werkte Matt hem overboord. Luchtpiraterij in volle vlucht, dacht Matt, terwijl hij de hopper in bezit nam. Onder hem plofte Mordoran zonder een kik op de vochtige bosgrond. Hij bewoog, maar was duidelijk groggy. Dat betekende dat Matt even de tijd had. Hij greep de besturing van de hopper en genoot van het vertrouwde gevoel. Hij keek om zich heen. Alles ging nog steeds zijn rustige gangetje in het Dodenbos. De hele schermutseling, die nog geen tien seconden geduurd had, was onopgemerkt gebleven. Maar hoe lang nog voor een van de goochemerds doorhad dat Matt helemaal niet thuishoorde in het decor?

Hij keek naar zijn hand en daarna achterom naar de Nucleus. Had hij genoeg energie in zijn hand om de Nucleus defect te maken? Waarschijnlijk niet. En als dat wél zo was, wat gebeurde er dan met Kirsten daarbinnen? Leefde ze eigenlijk nog? Of was ze opgeslokt door dat enge zwarte gat waar ze zoveel over wist? Uit elkaar gerukt en geroosterd. Gisteren zou hij die gedachte niet eens zo onaangenaam hebben gevonden, maar vandaag was er iets veranderd. Vandaag was Kirsten iets meer dan een betweterige barbiepop zonder hart geweest. Misschien was Kirsten Munte een kreng, maar ze was een menselijk kreng, dat had ze vandaag bewezen. Voor Matt was dat genoeg om haar levend uit dat machinale monster te willen halen.

Matt gleed tien meter boven het centrale punt van het Dodenbos en merkte dat de grote put gedempt was. Alle Crimo's waren bovengehaald en hun tijdelijke graf was weer dichtgegooid, de cellen afgevoerd en vernietigd. Wat verderop knipoogde de deur van een paviljoen open en in het gezelschap van een Crimo en Archibald stapte Skip naar buiten. Zijn vriend keek omhoog, precies op het ogenblik dat Matt hem opmerkte.

Toen Skip alarm schreeuwde, drong het plots tot Matt door. Hij wist precies wat hij moest doen.

Wie had er ook alweer gezegd dat je de vijand met zijn eigen wapens moest verslaan? Matt stuurde de hopper naar beneden en versnelde. Toen liet hij het stuur met zijn rechterhand los en wees ermee op het paviljoen achter Skip en Archibald. Er gebeurde niets. De kracht die in de kerk uit zijn hand was gebliksemd, zweeg. Dat was een tegenvaller. Matt probeerde zich te herinneren of hij in de kerk iets speciaals had gedaan. Een gebaar. Een gedachte. Voor zijn part een toverspreuk. En toen wist hij het: hij had helemaal *niets* gedacht. Het was een opwelling geweest, geboren uit angst en vastberadenheid. Nu hij hier met zijn hopper op Skip afstormde, besefte hij dat hij nog veel te leren had. Zijn kracht beheersen, bijvoorbeeld.

De Crimo beneden leek geen last te hebben van dit soort bespiegelingen. Hij bracht zijn beide handen in de aanslag om het vuur op Matt te openen. Dat was precies het zetje dat Matt nodig had. Hij slingerde zijn hand in de richting van het paviljoen en *voelde* de dondervuist eruit springen. Gedurende een fractie van een seconde was het alsof zijn vingertoppen in brand stonden. Tegelijk was er een schok, toen de energieflits vertrok. De Crimo op de grond wist niet wat hij zag. Een nietig mensenkind met dezelfde krachten als hij. Hij dook naar de grond, op zoek naar dekking. De energieschicht knetterde over hem heen en sloeg een gat in het paviljoen achter hem. Bij het geluid van de inslag zochten ook Skip en Archibald hun heil op de grond.

Matt moest zo sterk remmen dat hij bijna over het stuur van de hopper vloog. Hij sprong met één been van de hopper en knielde naast Skip. Zijn bezeten vriend keek op, onzeker of hij bang moest zijn of kwaad. Matt greep hem bij de pols en sleurde hem overeind. Skip schudde met zijn hoofd om de duizeligheid van zijn geestelijke ketens af te gooien. 'Matt! Je bent teruggekomen.'

Naast hen krabbelde de Crimo overeind.

'Geen gezeur! Bewegen!'

Matt sprong weer op zijn hopper. Skip volgde gedwee en Matt wist nog net op tijd op te stijgen om de graaiende handen van de Crimo te ontwijken. Hij stuurde de vliegplaat steil en snel omhoog, terwijl hij een zigzaggende koers tussen de bomen volgde. Een dozijn Crimo's had intussen het vuur geopend. Boomtoppen en takken splinterden bij elke inslag.

'Waar gaan we heen?' riep Skip. 'Kom je ons allemaal halen?'

'We gaan helemaal nergens heen! Kirsten zit opgesloten in de Nucleus en de Crimo's vallen vannacht Kempier aan. Ik ga ervoor zorgen dat ze daar spijt van krijgen.'

'Hoe dan? Wat kan ik doen?'

'Geef me je gsm!'

'Watte?'

'Je gsm, Skip. Zeur niet. Je gaat me niet vertellen dat je die aan de Crimo's gegeven hebt!'

Matt keek achterom en zag dat een stuk of tien hoppers de achtervolging op hem hadden ingezet. Matt was snel en behendig in de toppen van de bodem, maar Skip belemmerde zijn bewegingen en dus haalden de Crimo's hem in. Hij had geen tijd te verliezen.

'De eerste vraag die ze stelden was of we een gsm bij ons hadden!' riep Skip. 'Die zou gevaarlijk zijn voor de Nucleus.'

'Dat weet ik. Heb je hem afgegeven?'

'Mijn gsm? Wat dacht je wel? Ik ga nog liever dood. Ik heb hem uitgeschakeld en weggestopt. Ik dacht, als ik hem uitschakel, dan levert hij geen gevaar op voor de Nucleus. Ze hebben me niet gefouilleerd, omdat ze dachten dat ik hun niets kon weigeren.'

Matt feliciteerde zich met zijn ingeving. De geestelijke overmeestering van de Crimo's was dus niet zo compleet als ze zelf dachten. Skip had al jaren ervaring in het rebelleren tegen zijn ouders, en die rebelse geest kwam nu van pas.

'Ik heb hem nodig.'

'Wat?'

Naast hen sloeg de bliksem in op een boom. De kruin brak af en helde gevaarlijk in hun richting. Matt trok de hopper op. De takken striemden over hun benen terwijl ze de vallende kruin ontweken.

'Je gsm!'

Achter hem bulderde een stem: 'Ik kom je halen, Matt Pinter!' Mordoran.

'Ik ga de Nucleus opblazen met jouw gsm,' siste Matt. 'Vooruit, geef op!'

'Opblazen? En mijn gsm dan?'

'Je kunt kiezen: je gsm of je leven!'

Een tweede inslag vlakbij deed Skip eieren voor zijn geld kiezen. Opeens zag Matt een gloednieuwe gsm voor zijn ogen bengelen, inclusief kleurenscherm en camera. Peperduur spul. Skip toetste zijn pincode in en gaf het toestel aan Matt. Matt knikte, stak de gsm op zak en dook zo steil naar beneden dat hij er misselijk van werd. Skip krijste van schrik. Een van de

Crimo's achter hem was zo verrast dat hij zich door een tak van zijn hopper liet grissen.

Boven een bed van struikgewas maakte Matt een haarscherpe bocht die Skip zijn evenwicht deed verliezen. Hij viel in een boog van de hopper en landde tussen varens en bessenstruiken. Hij sprong vloekend overeind en balde zijn vuist naar Matt.

'Sorry! Ik kom je straks wel halen!'

Mordoran scheerde grauwend langs Matt heen toen die weer in de richting van de Nucleus racete. Hoe graag hij die vent ook in het stof zag bijten, hij had er geen tijd voor. De Nucleus kwam eerst. En Kirsten.

De teleurstelling sloeg als een vloedgolf over hem heen toen hij de Nucleus zag. De Crimo's hadden zich rondom het tuig opgesteld als een leger in de loopgraven. Hoe kon hij ooit binnen komen? Instinctief remde hij af, terwijl hij probeerde na te denken over hoe hij de zaak moest aanpakken. Daardoor merkte hij Mordoran niet op. Hij hoorde nog net zijn gure lach en toen maaide een formidabele mep op zijn rug hem van zijn hopper. Matt buitelde met hopper en al naar beneden over de vochtige humus van het Dodenbos. De hopper kletterde meters ver weg, terwijl Mordoran gierend van de pret over hem heen vloog.

Matt richtte zich op. Hij keek aarzelend naar de teleportarmband. Het was heel aanlokkelijk om die nu te gebruiken. Om te vluchten. Maar dat loste niets op. Dus krabbelde hij op handen en voeten naar zijn hopper. Mordoran kreeg echter niet genoeg van het spelletje. Hij vuurde een energieflits af en die sloeg in de grond tussen Matt en de hopper. De explosie gooide een wolk van natte aardkluiten over Matt heen. Mordoran joelde. Terwijl hij als een gier rondjes draaide boven Matt, moedigden zijn collega-Crimo's hem volmondig aan. Mordoran ging verder. Hij stak zijn hand naar Matt uit en spreidde een staaltje van Cirische kracht tentoon via telekinese. Door een onzichtbare hand – en de wil van Mordoran – werd Matt van de grond getild. Hij steeg als een luchtballon in de koude lucht. Tien meter hoog bleef hij drijven, terwijl Mordoran fluitend rondjes rond hem draaide met zijn hopper.

'Heb je eindelijk door wat voor een nietig wezen je bent, aardmannetje?' gaapte Mordoran.

Matt had zich nog nooit zo machteloos gevoeld.

'Of je nu wilt of niet, je zult je onderwerpen aan mij. Je bent te dom en te zwak om een Ciriër te verslaan.'

Of *was* hij niet machteloos? Sluimerden niet diezelfde krachten in zijn lichaam en geest? Woedend stak Matt zijn hand naar Mordoran uit en de Crimo sloeg met hopper en al achteruit, alsof hij een opdoffer kreeg. Het was niet veel meer dan een flinke por, maar het was genoeg om Mordoran uit het lood te slaan. Hij liet zijn greep op Matt los en die plofte als een baksteen naar beneden. Tien meter, dacht Matt, dat is dodelijk. Tenzij …

Hij strekte beide handen voor zich uit, alsof hij zijn val wilde breken. Midden in zijn dolle vlucht merkte hij hoe hij de zwaartekracht de baas was. Hoe hij in slow motion viel. Toen hij uiteindelijk op de grond belandde, was dat een stuk zachter dan hij had verwacht en hij stond meteen weer overeind. Hij wenkte zijn hopper en de vliegplaat gehoorzaamde als een gedresseerd paard. Nog voor een toesnellende Crimo de hopper kon grijpen, kwam hij los van de grond en versnelde in Matts richting. Met groeiend zelfvertrouwen sprong Matt weer op de hopper en zoefde weg. Een zwerm van hoppers onder leiding van Mordoran ging achter hem aan.

In een wijde bocht vloog Matt om de Nucleus heen. Wat kon hij doen? Als hij in de buurt van de Nucleus kwam, kreeg hij van de Crimo's op de grond de volle laag. In de lucht wemelde het van de hoppers.

En wat gebeurde er intussen met Kirsten? Kon hij haar zomaar aan haar lot overlaten? Misschien werd ze op ditzelfde moment in mootjes gehakt door de machines in de Nucleus. Misschien wás ze al dood. Of misschien leefde ze nog, maar was er nog maar een kleine kans dat hij haar kon redden. Al dat stressen levert niks op, dacht Matt, en hij stuurde zijn hopper resoluut in de richting van de Nucleus. Alles of niets dan maar. Onmiddellijk openden de Crimo's het vuur als mortieren aan het front. Het was een kwestie van seconden voor één van die energieschichten hem trof, dat wist hij zeker.

Maar lang duurde het niet. Het vuur werd luid onderbroken door Mordoran, die niet wilde dat zijn prooi hem werd ontnomen. 'Stop daarmee! Waag het niet één vinger naar hem uit te steken! Die onderkruiper is voor mij, horen jullie mij? Voor mij alleen!'

Even plotseling als het was begonnen, hield het gesis van de dondervuisten op. Matt aarzelde. Ze weten niet dat ik die gsm heb, dacht hij. Anders namen ze dit risico niet. Toen zag hij het oog. Datzelfde oog dat Kirsten minuten geleden had opgeslokt, opende zich. Een witte wolk spoot nijdig sissend naar buiten. Met een kreet stormde Matt vooruit. Enkele tellen maar zou het oog open blijven, dat wist hij. En als het nú sloot, dan had Matt niet meer het vermogen om af te remmen. Dan sloeg hij te pletter tegen het dichtgeklapte oog. In een flits zag hij hoe het diafragma van het oog zich sloot. Hij kneep zijn eigen ogen dicht, bukte zich en vloog vooruit ...

Het rumoer van zijn omgeving stopte plotseling. Hij opende zijn ogen. Hij was binnen. Hij vloog met zijn hopper door een wijde, perfect ronde tunnel die naar links en naar beneden afboog. Hij stuurde bij, zodat hij de scherpe bocht kon volgen. De wanden straalden een zacht, schemerig licht uit. Het was hier iets warmer dan in het Dodenbos, maar nog steeds koud. Toen Matt even achteromkeek, zag hij de binnenwand van het oog, vast al honderd meter achter hem, uit het gezicht verdwijnen.

Of hij zich nu beter moest voelen, wist Matt niet. Oké, hij was aan een lynchpartij ontsnapt, maar was hij hier veiliger? Hij begreep niet waar deze tunnel naartoe leidde en ook niet hoe hij zo lang kon zijn. Van buitenaf bekeken zag de Nucleus eruit als een flink huis. Hierbinnen leek het de omvang van een stad te hebben. Matt bleef maar doorvliegen, steeds dieper. Hij zag dat de tunnel herhaaldelijk afsplitste en vertakte. Soms werd de wand doorzichtig en werden andere tunnels zichtbaar, waardoor vormeloze, roze massa's zich voortbewogen. Hoe groot was de Nucleus? Bevond het zich onder de grond en was de constructie in het Dodenbos maar een soort deur? Of bevond het zich helemáál ergens anders, in een andere dimensie, zoals Kirsten had gezegd.

En wat maakte het eigenlijk uit? Matt wiste de vragen uit zijn geest en probeerde de weg te vinden. De belangrijkste vragen waren: waar vond hij Kirsten en waar moest hij Skips gsm aanzetten zodat hij dit monster van oneindige tunnels kon vellen? En nog belangrijker: hoe vond hij nadien weer de weg naar buiten? Die vraag werd onmiddellijk gesmoord door een kreet die van ver boven hem naar beneden viel. Het was een strijdkreet van een hele grote, heel lelijke Crimo. Mordoran had de Nucleus betreden, nog steeds op zoek naar zijn slachtoffer.

Matt vloog wat dichter bij de tunnelwand en raakte hem in de vlucht aan. Hij voelde koud en glibberig aan, alsof hij van ijs was. Dat kon natuurlijk niet, want al was het hier koud, vriezen deed het beslist niet. Het betekende wel dat Kirsten geen houvast had gevonden en dus heel deze weg naar beneden was gegleden. Gelukkig begon de tunnel nu minder steil te dalen. Misschien had dat haar val vertraagd. Matt was intussen al enkele minuten onderweg en had naar eigen schatting al meer dan twee kilometer afgelegd. De tunnel was nu bijna vlak. Nog steeds was er geen spoor van Kirsten. Matt was de weg van de minste weerstand blijven volgen. Iemand die in de tunnel gevállen was, die had deze weg ook gevolgd, dat kon niet anders.

Toen was de reis opeens ten einde. Matt schoot de tunnel uit en kreeg een steek van hoogtevrees. En dat was voor hij naar beneden keek.

Hij was terechtgekomen in een eindeloze ruimte. Links, rechts, boven, onder en voor hem uit. Hij zag geen wanden, alleen een allesomhullende duisternis in de verte. Gouden buizen met de dikte van een eeuwenoude eik staken overal uit de duisternis omhoog en verdwenen boven in weer nieuwe duisternis. Tussen de buizen door torenden groene grillen met monsterachtige verbindingen die af en toe vonkten in de eeuwige schemering. Sommige grillen waren met elkaar verbonden. Ook tussen sommige van de buizen liepen bronzen en zilveren verbindingen. Kabels zo dik als rioolbuizen hingen als immense koppelingen van gril tot gril en tussen deze eindeloze doolhof zweefden platen, blokken en andere vormen, sommige verlicht, andere donker, schijnbaar doelloos heen en weer. Een dof gonzen als van miljarden bijen drong tot Matt door.

Met een hart vol angst gooide Matt een blik over zijn schouder. Daar zag alles er precies eender uit. Alleen was er een kluwen van blinkende witte slurven dat hemelwaarts wees en hoog boven hem in het niets verdween. Dat waren vast de tunnels waardoor hij had gereisd.

Dit was het hart van de Nucleus. Dat moest wel. Hoe hadden de Crimo's dit kunnen maken? Het was zo groot als een onderaardse stad. Een wereldstad. En als ze dit konden maken, hoe zouden ze dan ooit problemen kunnen hebben met Kempier? Of met de rest van de wereld? Er klopte iets niet. De omvang van de Nucleus paste niet bij het opzet van de Crimo's. Als ze dit konden, dan hadden ze toch ook al lang een ruimteschip kunnen maken dat hen van de aarde kon wegbrengen. En dan hoefden ze zich niet eens om Kempier te bekommeren. Wat moeten ze ook met een achterlijk tweederangsplaneetje als de aarde? Geen tijd voor gemijmer! Een gil onderbrak zijn gedachten. Matt keek om zich heen. Het geluid kwam van onder hem. Rechts. Er bewoog iets op de rechthoekige blauwe plaat die langzaam van hem weggleed. Een arm die zwaaide. Kirsten! Als een fakir op een vliegend tapijt vloog ze langzaam van hem weg. Het tapijt in kwestie was doorgeregen met gouden draden en zag er nog het meest uit als het moederbord van een PC, maar dan duizend keer uitvergroot.

Matt landde met zijn hopper op de vliegende plaat, sprong erop en omhelsde Kirsten voor hij besefte wat hij deed. Of ze verrast was, wist hij niet, maar in elk geval knuffelde ze van harte terug. Toen beseften ze beiden wat er gebeurde en zetten ze bedremmeld een stap terug. 'Euh ... sorry,' zei hij.

'Laat maar.'

'Mooi vliegend tapijt heb je gevonden.'

Ze haalde haar schouders op. 'Het heeft mijn leven gered. Ik viel door die tunnel heen als een bobslee in overdrive. Het was onmogelijk om te stoppen. Ik floepte de tunnel uit en kwam pardoes op deze plaat terecht, die toevallig onder de uitgang van de tunnel doorkwam.'

Matt keek om zich heen. 'Is dit de Nucleus?'

'Ik denk het.'

'Ik kan niet geloven dat het zo groot is!'

'Eerlijk gezegd,' zei Kirsten, 'dénk ik ook niet dat het zo groot is. Ik denk dat het integendeel heel klein is en dat we wel degelijk diep binnenin de Nucleus zitten die we in het Dodenbos zagen staan.'

Matt lachte haar bijna uit. 'Onzin! Ik heb kilometers afgelegd met de hopper! En moet je de afmetingen van deze ruimte bekijken!'

'Ik denk niet dat de ruimte zo groot is, maar dat wij zo klein zijn.'

'Hoe bedoel je? Wil je zeggen dat −'

'Dat we door binnen te treden in de Nucleus op een of andere manier microscopisch zijn verkleind. Zie het als een speciale vorm van nanotechnologie. Wij zijn nu misschien niet groter dan een lichaamscel.'

'Onmogelijk!'

Kirsten lachte, ondanks hun penibele situatie. 'Dat ik dat uit jouw mond moet horen! Het is niet zo gek als het klinkt. Vergeet niet dat wij en alles wat zich in onze wereld bevindt vooral bestaat uit ruimte. Ruimte tussen de atomen. Als je die wegneemt, kun je alles héél klein maken. Maar dat is theorie ... Die misschien door de Crimo's in de praktijk is gebracht. Op die manier kunnen ze hun Nucleus zélf perfect onderhouden.'

Matt kreeg niet de tijd om over dit nieuwe vraagstuk na te denken. Een rauwe kreet spuwde de tunnel uit en maakte een einde aan het gesprek. Mordoran was gearriveerd.

Matt sprong weer op zijn hopper. Hij diepte Skips gsm op uit zijn zak en gaf hem aan Kirsten. Ze keek er met zoveel verbazing naar dat het hem plezier deed. 'Hoe kom je daaraan?'

'Van Skip. Had hij nog op zak. Ik *wist* dat hij hem niet zou kunnen afgeven.'

Ze bekeek hem met nieuwe, waarderende ogen. 'Ik zal niet de fout maken je nog eens te onderschatten, jongen.'

Matt oogde naar Mordoran, die als een roofvogel op hen neerviel. 'Gebruik hem als je vindt dat het nodig is, maar we moeten nu maken dat we wegkomen, want die lolbroek heeft weinig goeds in de zin!'

'Wacht!' Kirsten hield de gsm in de hoogte en zwaaide ermee naar de aanstormende Crimo. Mordoran reageerde alsof er iemand een bazooka op hem richtte. Hij kromp in elkaar en trok zijn hopper opzij, zodat hij wegschoot in een andere richting.

'Is het niet geweldig? Hij doet het in zijn broek voor een onnozele gsm!' juichte Kirsten, terwijl ze bij Matt achterop sprong. 'Hoe lang heeft je heenreis door deze tunnel geduurd?'

Matt haalde zijn schouders op en steeg op in de richting van het kluwen van tunnels, terwijl hij Mordoran scherp in het oog hield. De Crimo was al van zijn schrik bekomen. Hij oordeelde wellicht dat hij niets meer te verliezen had en dat hij Matt wilde krijgen, wat er verder ook gebeurde. Matt spurtte vooruit. 'Drie minuten? Vijf? Ik weet het niet precies. Waarom vraag je dat?'

Hij hoorde hoe Kirsten bliepend een nummer vormde op de gsm. 'Omdat,' zei ze, 'ik niet weet hoe lang de Nucleus overeind zal blijven als ik deze knop eenmaal heb ingedrukt.' Ze drukte op 'opbellen' en liet toen de gsm in de diepte vallen. Het mobieltje tuimelde van hen weg. In een mum van tijd was het onzichtbaar in de zwarte diepte. Matt hoorde een paniekerige gil van Mordorans kant, op de voet gevolgd door een bloeddorstige strijdkreet. Hij had de ernst van de situatie begrepen. Als Agamon het bij het rechte eind had, dan was de straling van het gsm-signaal krachtig genoeg om het lot van de Nucleus te bezegelen.

Het tunnelcomplex golfde hen tegemoet. Het boezemde Matt geen vertrouwen in, want: 'Ik weet niet meer uit welke tunnel we gekomen zijn! Het moeten er wel honderd zijn!'

'Eerder duizend.' Kirsten wees over zijn schouder. 'In het midden onderaan. Die moet het zijn. Hij is net iets groter dan de andere en steekt iets vooruit, zie je het?'

'Ja. Weet je het zeker?'

'Nee! Maar we hebben niet echt tijd voor een grondig onderzoek, hè?'

Dat werd nog eens bevestigd door Mordoran, die een dondervuist achter hen aan stuurde. Matt dook de tunnel in en probeerde de snelheid nog op te voeren. Tegelijk hoorde hij achter zich een onaangenaam, klagend geluid als van een machine die hopeloos vastliep en overkop ging. Een nauwelijks merkbare trilling liep door de lucht en door Matts beenderen.

'Het is begonnen,' zei Kirsten ontzet. Het had gewerkt. De Nucleus was ten dode opgeschreven. Maar hoe lang zou de doodsstrijd duren?

De tunnel zag er hetzelfde uit als het exemplaar dat Matt in de andere richting had gevolgd, maar of het werkelijk dezelfde was, kon Matt niet beoordelen. Hij wist alleen dat het geen akkefietje was om in de opeenvolging van bochten en lussen zijn snelheid aan te houden. Kirsten klemde zich vastberaden aan hem vast, maar bij elke bocht riskeerde haar massa, aangevuld door de middelpuntvliedende krachten, hem van de hopper te sleuren. Dat gaf Mordoran een voordeel. Hij won snel veld.

Matt wist dat hij in de verkeerde tunnel zat, toen die opeens veel breder werd en Mordoran met gemak langszij kwam. Hij hield even gelijke tred, lachte zijn lelijke tanden bloot en probeerde Matt en Kirsten vervolgens te rammen. Matt reageerde zonder nadenken. Hij volgde de beweging van de Crimo, zodat hij tegen de gebogen wand van de tunnel omhoogschoof. Hij besloot de beweging te vervolmaken, ging vliegensvlug overkop en kwam aan de andere kant naast Mordoran terecht. Die grauwde van woede en probeerde het opnieuw.

Matt wist dat hij het spelletje niet kon volhouden. Al bij de eerste keer waren ze bijna samen van de hopper gevallen. Toch moest hij het manoeuvre een tweede keer uitvoeren, en een derde keer. Toen Mordoran hem tot een vierde koprol dwong, was hij uitgeput. Hij kwam te langzaam in beweging en voelde hoe de Crimo hem met zijn hopper inhaalde en enterde. Mordoran greep meteen naar het stuur van Matts hopper, maar

Kirsten was niet voor één gat te vangen. Ze zette letterlijk haar beste beentje voor en bezorgde de Crimo een gelekaarttrap tegen zijn schenen. Hij gaf een schreeuw, maar trok zijn hand niet terug. Matt trok zijn hopper opzij, maar al had Mordoran zijn greep verslapt, hij liet niet los.

Matt keek voor zich uit en zag dat de tunnel versmalde en opsplitste in twee andere tunnels. Hij gaf een nieuwe ruk aan het stuur, maar het baatte niet. Mordoran wilde hen allebei te pletter laten slaan op de splitsing. Op die manier schakelde hij Matt uit en over de gevolgen voor zichzelf maakte hij zich geen zorgen.

'Laat los!' schreeuwde Kirsten. Tegelijk hief ze opnieuw haar voet op. Niet om te schoppen, maar om zo bij het bedieningspaneel van Mordorans hopper te kunnen. Ze hamerde er doelloos op, maar het hielp. De hopper schokte en vertraagde. Automatisch probeerde Mordoran de controle over de vliegplaat terug te krijgen. Daartoe liet hij noodgedwongen Matts hopper los. Een ogenblik later schoten ze voorbij de splitsing, elk een ander tunnel in.

'Goed gezien!' prees Matt.

De twee tunnels lagen zo dicht bij elkaar dat de wand ertussen doorzichtig was. Ze zagen Mordoran in de andere tunnel door racen. Inmiddels ging er een nieuwe trilling door de tunnels. Achter hen zwol een jankend geluid aan. De doodskreet van de Nucleus. Matt meende ook dat hij vertraagde. Enkele ogenblikken later was hij er zeker van. Niet alleen vorderde hij minder snel, hij voelde ook hoe het hart in zijn borst met meer moeite klopte. Hoe zijn bewegingen stroever werden. Kirstens gewicht groeide aan tot een zwaardere last.

'Het is de singulariteit!' riep Kirsten boven het loeien van de Nucleus uit. 'Het zwarte gat breekt uit. De zwaartekracht zuigt ons ernaartoe. We zijn verloren, Matt!'

Het wit van de tunnel hield voor hen op te bestaan. De buitenkant van de Nucleus kwam in zicht. Tweehonderd meter misschien nog. Matt zette zijn hopper aan tot meer snelheid, maar het tegendeel gebeurde: het toestel verloor steeds meer snelheid, tot het uiteindelijk terugviel tot een slakkengang. Lopen kon niet in de perfect gladde tunnel, dus ze moesten aan boord blijven. Hoe lang dat nog kon, wist Matt niet. Kirstens massa hing als lood aan zijn schouders en probeerde hem naar beneden te trekken. Hij keek voor zich uit. Nog vijftig meter. Veertig. Maar het oog van de Nucleus bleef hardnekkig dicht. Hoe lang voor het weer openging? Of zaten ze in de verkeerde tunnel en daardoor op een dood spoor? Misschien was er hier geen opening.

De tunnelwanden trilden en begonnen barsten te vertonen. Een stuk van de wand brak los naast hem en werd onmiddellijk dieper de tunnel in gezogen door de snel groeiende zwaartekracht.

Nog tien meter. Maar hij kwam trager vooruit dan een fietser met windkracht 10 tegen. En dan was er ook nog Mordoran, die door een plotseling ontstane opening in de uiteenvallende tunnel kwam! De Crimo stortte zich met een schreeuw op hen.

Maar ook hem speelde de zwaartekracht parten. Hij misrekende zich en viste letterlijk achter het net. Hij viel, haakte met één vinger achter Kirstens T-shirt en moest zich met moeite aan haar enkel vastklampen, terwijl zijn stuurloze hopper hongerig door de instortende tunnel werd opgeslokt.

Matts hart sloeg een slag over toen hij zag dat het oog van

de tunnel knipoogde. Daarbuiten lokte de welkome schemering van het Dodenbos.

Het gewicht werd ondraaglijk. Kirsten woog onder normale omstandigheden zo licht als een veertje, maar Mordoran was een reus van meer dan honderd kilo. Kirsten gilde. Door de schok leek het alsof haar voet werd afgerukt. Ze raakte met beide voeten los van de vliegplaat en voelde hoe ze naar beneden werd getrokken door het gewicht van Mordoran, die op zijn beurt reddeloos door de tunnel werd aangezogen.

'We halen het niet!' schreeuwde Matt. Hij kon zich boven het huilen van de Nucleus nauwelijks verstaanbaar maken. 'Straks gaat het oog weer dicht! We moeten hem zien kwijt te raken!'

Kirsten had het begrepen. Ze zou zich er niet trots om voelen, maar haar overlevingsdrang won het op dat ogenblik van alles. Ze trapte wat ze kon met haar vrije voet. Wat ze precies raakte wist ze niet, maar het resultaat voelde ze des te beter. Opeens was dat ondraaglijke gewicht verdwenen. Mordoran had haar losgelaten en verdween onder haar, nog steeds brullend van woede, vliegensvlug de tunnel in.

Door het kleinere gewicht maakte de hopper een sprongetje voorwaarts. Hij flitste door het oog, dat zich meteen achter hen sloot. De moordende zwaartekracht viel abrupt weg en de hopper herwon zijn oorspronkelijke kracht en snelheid. Dat gebeurde zo snel dat Matt de controle over het apparaat verloor. Hij ging omlaag en werd met Kirsten en al van de hopper gesmeten, op de dode bladeren van het Dodenbos.

Bibberend van emotie waren ze getuige van de ondergang van de Nucleus, op vijftig meter van hen vandaan. Ze waren niet alleen. De Crimo's en hun menselijke slaven keken op een eerbiedige afstand toe. De zuigers en stampers waren al tot stilstand gekomen. Matt had niet gezien waar Tyranac was, maar hij vond dat er best weinig Crimo's stonden te kijken. Waren ze al gevlucht?

De inerte massa van de Nucleus trilde als bij een aardbeving en toen ging het plotseling erg snel: het was alsof een blad papier eindeloos werd opgevouwen, tot er niets meer overbleef. Of een doek dat in de vuist van een goochelaar wordt gewurmd en hocus pocus verdwijnt. De Nucleus knipperde, werd binnenstebuiten gekeerd en in elkaar gedrukt, opnieuw binnenstebuiten gedraaid en nog verder bijeen geperst. Alles bij elkaar duurde het minder dan een halve minuut. Daarna bleef er niets meer over.

Met de ondergang van de Nucleus viel voor de Crimo's alle bescherming weg. De vrolijke namiddagzon van juli goot vanuit het westen haar warme stralen van oranje en geel over de ontbladerde bomen van het Dodenbos. Zelfs Matt vond de plotselinge explosie van licht verblindend. Voor de Crimo's moest het verpletterend zijn. Gillend gooiden ze zich op de grond met de handen voor de ogen, alsof iemand hen een handvol peper in het gezicht had gegooid.

Intussen daalde een warme wind neer die hen nog wat meer sarde.

Kirsten kwam het eerst bij haar positieven. Na haar valpartij checkte ze of alle botten nog goed aan elkaar zaten, wreef over de voet waar zonet nog Mordoran aan bengelde en stond aarzelend op. Daarna keek ze rond in het bos, dat er in het vriendelijke licht van de vooravond heel anders uitzag dan een minuut geleden.

'Waar zijn ze allemaal?' vroeg Kirsten.

'Waar zijn wie?'

'De Crimo's. Tyranac zei dat er wel dertig waren. Maar ik zie er hooguit een stuk of tien.'

Matt zag dat ze gelijk had. De menselijke lijfeigenen liepen wat verdwaasd rond en knipperden met hun ogen alsof ze net een tik op hun hersens hadden gekregen, maar van de Crimo's geen spoor. Een stuk of tien? Matt keek om zich heen en telde er niet meer dan zes. En terwijl hij keek, verdween één van hen. Zijn lichaam vervaagde tot een silhouet tot het helemaal verzwonden was. Onmiddellijk daarna volgde er een tweede. Naast de verdwenen Cirïer pulkte een Crimo met toegeknepen ogen aan zijn transportatieband. Twee seconden later was hij weg.

'Ze transporteren zichzelf weg!' zei hij. 'Tyranac is er vast al vandoor.'

Ze stonden met trillende benen op, terwijl de laatste Crimo's verdwenen. Kirsten zei: 'Dus ze hadden rekening gehouden met een eventueel verlies van de Nucleus. Ze hadden een plan B. Een schuilplaats. Maar waar?'

Matt dacht terug aan de woorden van Agamon: *weet dat het hiermee niet voorbij is. Dit is nog maar het begin!* Had hij geweten dat Tyranac een plan B had? En wat hield dat plan dan in? Hij kon het de oude Oppasser niet meer vragen. Maar de mogelijke antwoorden waren beangstigend. In een tijdspanne van enkele maanden had Tyranac in het Dodenbos van niks een basiskamp opgezet dat de hoeksteen was van zijn veroveringen. Matt wist niet waar de Crimo heen was, maar zelfs al had hij op die nieuwe plek hulpmiddelen, dan stond hij aan het einde van de zomer even ver als vanochtend in het Dodenbos. Of had hij hier het geluk gehad dat hij op een industrieel was gebotst als Marcel Munte en zou hij de volgende keer een moeilijker weg moeten bewandelen? Misschien trok hij zich wel even terug om zijn wonden te likken en te leren van zijn fouten. Eén ding stond vast: Tyranac was uit het Dodenbos verjaagd, maar hij had alleen de veldslag verloren, niet de oorlog. Die zou ooit, ergens op de wereld, opnieuw losbarsten.

Met de verdwijning van de Crimo's was blijkbaar ook hun invloed verdwenen. Of waren ze zo ver weg dat hun invloed niet meer kon gelden? Dat zou kunnen betekenen dat ze aan het andere eind van de wereld zaten, want op afstanden van tientallen of honderden kilometers bleven ze die invloed wél behouden. Dat had Marcel Munte wel bewezen. Het leek logisch: misschien zaten ze op het zuidelijk halfrond, zeg maar Vuurland of zo, waar het nu winter en dus donker en koud was.

'Papa!'

Kirsten Munte vloog haar vader om de hals alsof ze hem een heel jaar niet meer had gezien. De zakenman hield haar in zijn armen alsof ze zijn kostbaarste schat was. Dat werd tijd, vond Matt, maar de hele knuffelpartij duurde zo lang dat hij er ongemakkelijk van werd. Hij wendde zich toen maar tot Archibald, die met een brede grijns om zijn lippen kwam aanzetten. Hij drukte hartelijk Matts hand. 'Geweldig gedaan, jongen! Je bent een held. Pastoor Sevinge had het moeten zien!'

Matt voelde zijn borst zwellen, maar haalde schaapachtig zijn schouders op. 'Ach, zijn we dat niet allemaal een beetje?'

'Hoe heb je dat in vredesnaam klaargespeeld?'

Matt lachte. 'Met de hulp van een gsm, Agamon en Herbert Kuyken!'

'Herbert?' fezelde Archibald, alvorens grote ogen te trekken en te roepen: 'Agamon?'

Matt schetste kort wat er gebeurd was en in de loop van het verhaal werden Archibalds ogen zo mogelijk nog groter. Bij de aankondiging van Agamons dood stampvoette de oude man. 'Doodzonde! We hadden zo veel van hem kunnen leren!'

'Hé! Waar is mijn gsm?'

Vanuit de struiken kwam Skip aangerend, boos en wel, en hij posteerde zich voor Matt, de handen op de heupen. 'Vertel op!'

Kirsten zei: 'Die zie je niet meer terug. Ik heb hem in de

Nucleus gedumpt. *Jouw* gsm heeft ons allemaal het leven gered!'

Dat kon Skip duidelijk niet schelen. De ondergang van zijn gsm was ongeveer het ergste dat hij kon meemaken. Hij overwoog even om kwaad te worden, maar zakte toen door zijn knieën en ging zitten mokken.

Daar stonden ze dan, een groepje van niet meer dan twintig mensen, die onwennig bij elkaar dromden. Hun avontuur had hen met elkaar verbonden, maar ze kenden elkaar nauwelijks. Eén van de arbeiders van Necroid wees opeens naar het paviljoen en zei: 'Kijk!'

Ze keken allemaal en zagen het laatste onaardse bouwwerk ter ziele gaan. Het paviljoen smolt. Nu al was het makkelijk een halve meter lager en het zakte zienderogen in elkaar. Aan de voet was er een schuimende massa ontstaan die uiteen glibberde op de bosbodem, maar ook de wanden en spanten van het paviljoen vertoonden dezelfde schuimmassa.

'Alles verdwijnt!' riep Kirsten uit.

'De schurk!' zei Archibald met een stem vol ontzag. 'De dekselse schurk!'

Toen pas merkte Matt dat zijn transportatieband veranderd was in een schuimende, zwarte brij, die steeds sneller op de grond begon te lekken. Hij liep naar zijn hopper en hurkte erbij. De solide plaat waarop hij had gestaan, was verworden tot een stuk slap karton. Hij probeerde de stuurstand op te rapen, maar die brak uit elkaar alsof ze uit water bestond. Hij hield alleen een wormachtig en glibberig eindje in zijn handen, dat verder verwaterde. Er bleef nu al bijna niets meer van over.

'Wat is dat allemaal?' wilde Matt weten. 'Dat kan toch niet?'

Archibald zei: 'Ik geloof dat we die woorden niet gauw meer

in de mond zullen nemen, hè? Ik weet niet hoe ze het doen, Matt, maar het is wel duidelijk dat Tyranac rekening hield met een eventuele nederlaag. Hij heeft zijn voorzorgen genomen. Hij had een vluchtplaats, waar ze nu allemaal naartoe zijn. Maar wat nog belangrijker is: hij moest ervoor zorgen dat alle bewijsmateriaal verdwijnt! De put waar de Crimo's uit hun cellen zijn gehaald, is al gedempt. De cellen zelf heeft hij laten vernietigen. Niemand behalve de Crimo's weten waar of hoe. En hun huizen en apparaten zijn blijkbaar zo gemaakt dat ze in de afwezigheid van de Nucleus tot atomen uiteenvallen. Ik wed dat je over een uur niets meer ziet van wat hier heeft gestaan. Nee, hij had het goed uitgekiend. Het grootste gevaar is een gevaar waarin niemand gelooft. Door dit alles te laten verdwijnen zorgt Tyranac ervoor dat niets zijn bestaan kan bewijzen. Niemand zal geloven dat hij bestaat, wat wij ook zeggen, en dus zal niemand naar hem zoeken. Intussen kan hij rustig zijn volgende slag voorbereiden.'

Matt knipte met zijn vingers. 'Er is wél een bewijsstuk.'

'O ja?'

'Agamon!' wist ook Kirsten. 'Natuurlijk! Als je hem laat onderzoeken, zullen de dokters snel merken dat hij niet van deze wereld komt. Hij ziet er ongeveer uit als een mens, maar vanbinnen moet hij er toch anders uitzien? En zijn DNA kan niet hetzelfde zijn. Áls hij al DNA heeft.'

'Goed gezien,' knikte Archibald. 'Misschien is dat het bewijs waarmee we de autoriteiten de ogen kunnen openen. Laat ons hopen dat Herbert goed op hem heeft gepast. Zelfs Herbert kan niet zo dom zijn dat hij een dode laat ontsnappen, denk ik zo.'

'En we hebben de amuletten,' vulde Matt aan.

Marcel Munte trad naar voren. 'Intussen stel ik voor dat wij allemaal gewoon naar huis gaan. Ik zal niemand tegenhouden als hij naar de politie wil gaan of naar de kranten, maar veel zal het niet uithalen voor ze die Agamon hebben.' Hij keek om zich heen, terwijl hij een arm om zijn dochter sloeg. 'Ik geloof dat Necroid het Lazarusplan zal afblazen. Op de volgende directievergadering zullen we vaststellen dat het een goed idee is om het Dodenbos aan de gemeente Kempier te schenken.' Hij keek Kirsten aan. 'Gaan we?'

Kirsten knikte. 'Ik geloof dat ik me bij mama nog moet verontschuldigen.'

'Dan zijn we met z'n tweeën.'

Matt was de laatste die in het Dodenbos achterbleef met Archibald en Skip. Nu al kwam het avontuur hem onwerkelijk voor. In minder dan een halfuur waren de paviljoenen van de Crimo's compleet verschrompeld. Het waren poelen van smurrie geworden, die nu verwaterden en in de bodem trokken. Matt vroeg zich af of het zin had om bodemstalen te nemen. Waarschijnlijk niet. Tyranac was niet dom. Als hij wilde dat de paviljoenen verdwenen, dan gebeurde dat ook. Er zou niets achterblijven dat hun aanwezigheid daar zou kunnen bewijzen.

Lang voor de zon onderging, was er geen spoor meer te bekennen van de paviljoenen of enige andere constructie die de Crimo's in het Dodenbos hadden gebouwd. Alles zag eruit zoals vroeger, op de herfstige bomen na.

Het was een warme zomernacht.

Oma sliep. Deze keer doolden er geen moordzuchtige spoken door de nacht. Matt zat in het open raam van zijn slaapkamer en keek naar het Dodenbos. Bij het licht van de wassende maan en de stralende sterren was het van hieruit zichtbaar als een donkere strook in het zuiden. Er was daar nu niemand meer, behalve de dieren die er al eeuwen woonden.

Er was een week verlopen. Marcel Munte had voor Skip een nieuwe gsm gekocht. Skip was dus weer helemaal de oude.

Maar voor Matt was er te veel gebeurd om het allemaal zomaar te vergeten. Agamons vlijmscherpe woorden bleven in zijn hoofd rondwaren: *weet dat het hiermee niet voorbij is.*

Het was niet voorbij. Zoveel was nu duidelijk. Journalisten van enkele obscure sensatieblaadjes waren de afgelopen dagen als gieren in Kempier neergestreken, maar intussen waren ze ook alweer vertrokken. Enkele werknemers van Necroid hadden het avontuur niet voor zich kunnen houden en hadden hun hart uitgestort. Een enkele reporter van een fatsoenlijke krant had zich gemeld, maar hij had het bericht niet gepubliceerd of weggemoffeld in een weinig gelezen katern. Een of ander tv-programma speciaal gericht op het opsporen van rare kwibussen en halve garen beloofde ook nog een kijkje te komen nemen. Het enthousiasme van de mannen die hun verhaal hadden rondgebazuind, was intussen al bekoeld. Niemand nam hun serieus. In het Dodenbos was niets meer te zien, behalve enkele graafwerktuigen en een hijskraan. Er lag ook nog een enorme hoop brandhout naast de open plek die er gemaakt was om Tyranac op te graven.

Over de amuletten werd niet gesproken. Dat wilde Archibald niet. Om de eenvoudige reden dat een ander belangrijk bewijsstuk was verdwenen. Van Agamon was er geen spoor meer. Dat stukje van de puzzel was voorgoed verloren. Matt begreep er niets van. Het verhaal van Herbert Kuyken was rechtlijnig genoeg. Hij had het op de heupen gekregen in het gezelschap van de dode Ciriër. Daarom was hij naar buiten gegaan en had hij zelfs een eenrichtingsgesprek aangeknoopt met Esso, die geboeid had geluisterd. Toen hij een halfuur later weer naar binnen ging, was Agamon blijkbaar in rook opgegaan. Niets in de kamer was aangeroerd. Niemand was naar binnen of naar buiten gegaan. Maar de Oppasser was er niet meer.

Hadden ze zich vergist en was Agamon *niet* dood? Matt had al wel eens over schijndood gehoord. Maar dit was anders. De Ciriër had niets geveinsd. Hij had geweten dat hij stervende was. Hij zou niet een halfuur later fris zijn opgestaan, alsof hij een uiltje had geknapt. Trouwens, als hij nog leefde, waarheen zou hij dan vertrokken zijn? Geen betere plaats voor hem dan in het donkere, betrekkelijk koele kasteel. Nee, Agamon was echt wel zo dood als paps geweest. De enige andere verklaring was dat hij door Tyranac en zijn Crimo's was opgehaald. Om de laatste sporen uit te wissen. Hoe ze hem hadden weten te vinden, was een raadsel.

Dus had Archibald de amulet gehouden. Eén van de twee. Want Matt weigerde hem de tweede terug te geven. Hij vreesde de terugkeer van Tyranac. De Crimo wist dat hij, Matt, de gaven van de Ciriërs in zijn bloed had en dat hij dus een gevaar voor hen vormde. Dat had hij bewezen door Tyranacs Dodenbosplan grondig te dwarsbomen. Matt twijfelde er dus niet aan dat Tyranac hem wát graag alsnog uit de weg zou willen ruimen. Voorlopig, dacht Matt, ben ik veilig. Maar voor hoelang? Zonder de amulet was hij een vogel voor de kat als de Crimo's weer verschenen.

Archibald kende een heleboel mensen die hij zou betrekken in het onderzoek van zijn amulet. Als die konden bewijzen dat de amulet niet van aardse makelij was, dan hadden ze weer een been om op te staan. Dan hadden ze een kans om de autoriteiten van hun verhaal te overtuigen. Matt geloofde niet in de goede uitkomst. De amulet zag eruit als geslepen glas. Hij vermoedde dat de betrokken wetenschappers zouden vaststellen dat het inderdaad uit geslepen glas was gemaakt. De technologie van de Ciriërs lag zover voor op die van de kleine aarde dat de primitieve wetenschap van de aardbewoners hem niet als dusdanig zouden herkennen. Tyranac had dus de aftocht geblazen, maar hij had niet verloren.

'Dit is nog maar het begin,' had Agamon gezegd.

Sinds vandaag wist Matt meer dan ooit hoe waar die woorden waren.

Hij liet zijn blik van de nacht naar de brief in zijn hand glijden. Geen e-mail deze keer, maar een gewone, ouderwetse brief, geschreven met blauwe inkt op kraakhelder, dik papier. Er stonden maar enkele zinnetjes op. Hij las ze opnieuw, gebiologeerd, zoals hij dat die dag al honderd keer had gedaan.

Beste Matt Pinter,

Ik heet je welkom bij het Genootschap. We moeten praten, jij en ik. Ik heb je veel te vertellen. Over de weg die je te gaan hebt. En over de vrienden die je hebt zonder dat je dat weet. Vrienden, maar ook vijanden.

Er is de wereld die je elke dag ziet. Door je eigen ogen en door dat grote blinde oog van de televisie. Daarnaast is er een andere wereld. Onze wereld. Jouw wereld. De wereld die je nog niet kent, maar die je onherroepelijk moet betreden. De tijd van spelen is voorbij.

In het Dodenbos heb je je goed van je taak gekweten. Nu is het tijd om de volgende stap te zetten.

Tot heel binnenkort.

De brief was onthutsend genoeg. Hij was geschreven door iemand die hem kende en die precies wist wat hij had gedaan. Het had een grap kunnen zijn van Skip, maar die zou geen brief hebben geschreven, maar een sms. Bovendien had Skip een haast onleesbaar handschrift en stond er in elke zin dan minstens één taalfout. Nee, de brief was echt. Wie of wat het Genootschap was, begreep hij niet, al begon er een beangstigend vermoeden aan zijn hart te knagen. Hij bleef keer op keer met kloppend hart kijken naar de handtekening onderaan het briefje. Dat kon toch niet echt zijn? De brief was getekend: *Agamon.*